C0-AMR-686

다보스 리포트

힘의 이동

다보스 리포트

힘의 이동

매일경제 세계지식포럼 사무국 지음

매일경제신문사

발간사

미래경영의 비전을 담았습니다

비전이 없는 조직은 미래가 없습니다.

매일경제는 지난 1997년부터 대한민국호(號)의 비전을 만들어내기 위해 '비전코리아 프로젝트'를 추진했습니다. 이는 국가 아젠다를 제시함으로써 국민소득 3만 달러의 선진국을 만드는 데 기여하고자 하는 소박한 출발이었습니다.

첫 작품으로 매일경제는 외환위기 선언 불과 한 달 전인 지난 1997년 10월 〈한국 보고서〉를 발표했습니다. 한국의 경제위기를 예견, 패러다임의 대전환을 촉구하는 내용이었습니다.

이 보고서를 통해 매일경제는 한국의 선진국 진입을 위해 선진국과의 '지식격차'를 줄일 것을 제안했습니다. 21세기는 지식이 세상을 지배하며 '창조적 지식국가'를 만드는 것이 한국의 희망이라고 진단했습니다. 이를 위해 한국의 비전을 '두뇌강국', '지식강국' 으로 설정할 것을 주문했습니다.

그로부터 10년이 지났습니다. 매일경제의 고독한 외침은 메아리가 되어 사회 저변에 확산되기 시작했습니다. 사회는 급속도록 지식기반사회로 탈바꿈했습니다. 경제는 지식기반경제로 변신했습니다.

매일경제는 〈한국보고서〉에 이어 〈한국 재창조 보고서〉 〈두뇌강국보고서〉 〈신지식인 보고서〉 〈지식경영 전략 보고서〉 〈창조혁명 보고서〉 〈인재육성 보고서〉 등 다수의 보고서를 통해 한국의 '국가비전' 을 제시하는 데 주저하지 않았습니다.

여기에 그치지 않고 2000년부터 아시아의 다보스포럼으로 통하는 '세계지식포럼' 을 개최해 지식의 향연을 펼치고 있습니다.

매일경제가 왜 이 같은 일에 앞장섰을까요?

그것은 바로 국가와 사회, 국민에게 비전을 제시하기 위해서입니다. 미래를 읽는 사람, 비전 있는 사람은 성공할 수 있습니다. 국가와 기업도 마찬가지입니다.

저는 미래의 비전을 찾아내기 위해 다보스포럼은 물론 OECD(경제협력개발기구) 총회, 세계신문협회 총회 등 온갖 국제행사에 참석해 글로벌 리더들의 통찰력에 귀 기울여 왔습니다. 특히 저는 10여 년 넘게 다보스포럼을 통해 글로벌 CEO와 석학, 정치·정부 지도자, 시민단체 리더 등 각계의 리더들과 교류하며 다양한 지식을 배우고 있습니다.

매일경제가 이들의 혜안을 한 데 모아 국내 최초의 〈다보스포럼 보고서〉인 《다보스 리포트－힘의 이동》을 펴냅니다. 글로벌 리더들이 책 속에서 제시하는 통찰력을 통해 개인과 기업, 국가의 미래 비전을 찾아내길 바랍니다. 그리고 비전을 성취하는 주인공이 되기 바랍니다.

매일경제신문 · 매일경제TV 회장
장대환

머리말

글로벌 리더 2500명의 통찰력을 드립니다

21세기 지구촌은 어떤 도전에 직면하고 있는가? 개인과 기업, 국가와 사회, 가정과 시민은 급변하는 지식정보사회에서 어떤 생존의 법칙을 따라야 하나? 앞을 예측하기 힘들다.

앙겔라 메르켈 독일 총리, 룰라 다 실바 브라질 대통령 등 24명의 국가 정상과 빌 게이츠 마이크로소프트 회장, 네빌 이스델 코카콜라 회상, 소지 소로스 소로스펀드 회장, 마이클 포터 하버드대 교수 등 글로벌 리더 2,500여 명이 해법을 찾기 위해 한자리에 모였다.

그들은 2007년 1월 24~28일 스위스 다보스에서 열린 세계경제포럼에 참석해 '지구촌을 움직이는 힘의 방정식을 이해하면 미래 승자가 될 수 있다'는 결론을 내놓았다. '변화하는 힘의 방정식(The shifting power equation)'을 이해하는 개인과 기업, 국가는 승자의 길로 들어설 것이며 새로운 힘의 방정식을 만드는 주역이 되지 못하면 낙오자의 길을 걷게 된다는 것이다.

그렇다. 지구촌 사회는 현재 거대한 '힘의 이동'을 경험하고 있다. 공간적으로 미국과 유럽에서 아시아의 중국 · 인도로, 시장에선 생산자에서 소비자로, 커뮤니티에서는 거대 기관에서 개인과 소그룹으로, 제조업자에서 부품과 원료 공급업자로 힘의 축이 이동하고 있다.

신흥시장이 부상하고 있고 신흥 소비자들이 기존 시장의 질서를 바꿔놓고 있다. 인터넷 혁명은 전통적 비즈니스 모델을 위협하고 있으며, 기후변화와 물 부족, 테러 위협 등의 글로벌 리스크는 지구촌의 미래를 어둡게 하고 있다. 또한 다수의 이해관계자들이 기업의 사회책임경영을 요구하고 있다.

정보전염병(Infodemics), 싱글족 경제(The Singles Economy), 복합도전(Complex Challenge), 트라이벌리즘(Tribalism), 네트워크 경제(Networked Economy), 집단 지성(Collective Intelligence) 등 새로운 물결이 기업경영을 낯설게 하고 있다.

새롭게 재편되는 '힘의 논리'를 이해하고 힘의 지배자가 되는 방법은 없을까?

이 책에는 이 같은 질문에 대한 모든 해법이 담겨 있다. 기업과 조직경영, 국가경영을 현명하게 할 수 있는 온갖 지혜를 전하고 있다.

또한 이 책은 다보스포럼의 250여 개 세션에서 제시된 석학과 글로벌 CEO, 국가 정상들의 황금 같은 지식을 한 데 모은 최초의 다보스포럼 보고서이다. 따라서 미래경영에 대한 혜안을 제시해 주는 미래경영서라고 할 수 있다. 2,500여 글로벌 리더들의 지식과 지혜, 통찰력이 고스란히 담겨 있기 때문이다.

이 책을 통해 글로벌 리더들이 세계를 바라보는 소름끼칠 정도의 통찰력과 해법, 고민을 경험하게 될 것이다. 리더가 되고자 하는 직장인, CEO, 정치인, 시민단체 지도자, 공무원, 교육자를 위한 필독서로 일독을 권한다.

대표저자
최은수

목차

Ⅲ 힘의 이동-비즈니스 현장에선

Ⅳ 힘의 이동-기술 세계와 사회 현장에선

V 힘의 이동－국제질서·정치 현장에서

VI 리스크와 미래경영

VII 미래경영, 리더들의 제언

프롤로그

"위대한 나라는 그 나라의 행동으로 위대해지는 것이지 단순히 역사에 따른 것이 아니다. 그리고 위대한 나라의 실수들은 원래 커다란 실수들이다."

아메드 나지프, 이집트 총리
중동문제에 대한 토론 중에.

"아시아와 유럽 경제는
미국 경제보다 더욱 낙관적이다."

마이클 델, 델 컴퓨터 사장
세계경제에 대해 긍정적으로 평가하며.

프롤로그

왜 다보스포럼에 열광할까?

다보스포럼이 무엇이기에 사람들이 이토록 열광하는 걸까?
빌 게이츠 마이크로소프트 회장과 네빌 이스델 코카콜라 회장, 마이클 델 델컴퓨터 창업자 등이 바쁜 일정을 뒤로하고 왜 매년 1월, 다보스로 달려가는 걸까? 앙겔라 메르켈 독일 총리 등 국가 정상급 인사 20여 명이 국정을 비우고 5일씩 이 자리에 모이는 이유는 무엇일까?

다보스포럼이란?

세계를 이끌어가는 정치와 경제, 미디어 리더들이 스위스의 휴양지 다보스에 모여 지구촌 현안을 논의하는 국제적인 포럼. 공식 명칭은 '세계경제포럼(WEF, World Economic Forum)' 이다.

매년 1월 스위스 다보스에서 연차총회를 열어 지구촌 화두를 제시하기 때문에 '다보스포럼' 이라는 별명이 붙었다. 세계적인 기업인은 물론 세계 각국의 정상과 학자들이 한 곳에 모이기 때문에 '민간UN기구' 라고도 불린다.

“
지구촌에 새로운 도전과제가
돌출되고 힘의 균형이 깨지고 있다.
글로벌 리더들은 더 나은 세상을 만들기
위해 사명감을 가져야 한다.
”

클라우스 슈밥, 다보스포럼의 창설자

해마다 2,000명이 넘는 경제인과 정치인, 미디어, 학자 등이 포럼에 참석해 각종 지구촌 현안과 이슈를 토론한다. 서로 만날 기회가 많지 않은 다양한 분야의 리더들이 한자리에 모여 교류할 수 있는 세계 최고의 사교모임이기도 하다. 참가비가 연간 4,000만 원으로 알려져 있으며, 정치인과 관료, 시민단체 지도자 등을 초청한다.

다보스포럼은 현 제네바대학 경영학 교수 클라우스 슈밥이 1971년 '유럽 경영심포지엄'이라는 이름으로 창설했다. 처음에는 유럽 기업인들이 다보스에 모여 경제 문제를 논의하는 자리였지만 1987년 포럼 명칭을 세계경제포럼으로 바꾸고 오늘날에 이르렀다.

국가 수반 20여 명 참석

다보스포럼에는 매년 20여 명의 국가 정상급 인사들이 참석해 기업인, 학계, 시민단체 참석자들과 지구촌 번영을 위한 의견을 교환한다.

2007년에는 독일 첫 여성총리인 앙겔라 메르켈 독일 총리와 토니 블레어 영국 총리를 비롯해 국가 수반이 무려 24명이나 참석했다. 또한 각료 등 장관급 100여 명, 세계 유력 정치인 180여 명이 참석해 자리를 빛냈다. 글로벌 기업, 왕족, 미디어, 금융, 국제기구, 학계, 문화계, 비정부기구(NGO) 등 다양한 분야의 전문가들도 머리를 맞댔다. 이 때문에 여기에서 논의된 '지구촌 화두'는 곧 글로벌 이슈가 된다.

특히 2007년 다보스포럼에는 아세안(ASEAN, 동남아국가연합) 창

"

빨리 가려면 혼자 가도 된다.
그러나 멀리 가고 싶다면
함께 가야 한다.

"

앙겔라 메르켈, 독일 총리

설 40주년을 맞아 '아세안 40년-새로운 미래'를 주제로 압둘라 바다위 말레이시아 총리, 글로리아 아로요 필리핀 대통령, 응웬 탄 둥 베트남 총리 등 아세안 3개국 정상회담이 열리기도 했다.

이들 3개국 정상은 '중국과 인도의 부상'이란 새로운 도전에 맞서 역내 경제통합을 강화하자는 데 의견을 함께했다. 나아가 대기 오염과 조류병, 에너지, 안보 문제와 같은 문제 해결을 위해 협력하기로 했다.

룰라 다 실바 브라질 대통령과 펠리페 칼데론 멕시코 대통령은 '라틴 아메리카의 영역확대'를 주제로 한 세션에서, 개혁에 대한 피로감(Reform Fatigue)을 극복하고 성장해 나가기 위해 경제개방을 확대하기로 했다.

재계인사 1,000여 명 참석

다보스포럼은 매년 2,500여 명의 참석자 가운데 절반가량을 기업인으로 구성한다.

빌 게이츠 마이크로소프트 회장과 마이클 델 델컴퓨터 회상, 재드 헐리 유튜브 창업자, 오카무라 타다시 도시바 그룹 회장, 프레드릭 스미스 페덱스 회장, 하워드 스트링거 소니 회장, 애드 잰더 모토롤라 회장, 네빌 이스델 코카콜라 회장 등이 포럼에 참석하는 단골손님이다.

부인 멜린다 게이츠와 함께 매년 참석하는 빌 게이츠는 지구촌

“

5년 안에 TV와 PC에
새로운 혁명이 일어날 것이다.
방송통신 융합의 새로운 승자는
미래를 읽는 사람의 것이다.

”

빌 게이츠, 마이크로소프트 회장

도전 과제로 등장한 에이즈와 기아, 교육 문제 해결을 위해 국제사회의 협력을 요청하고 있다. 또한 포레스트 밀러 AT&T CEO, 마크 파커 나이키 사장, 로버트 폴렛 구찌 CEO, 크레이그 버렛 인텔 사장 등도 참석했다.

미디어 쪽에서는 스티브 포브스 포브스 그룹 회장, 세계적인 국제문제 평론가인 토마스 프리드먼 뉴욕타임즈 칼럼니스트, 루퍼트 머독 뉴스코퍼레이션 회장, 마크 호프먼 CNBC 사장 등이 참석해 미디어의 미래를 고민하는 시간을 가졌다.

머독은 ‘누가 지구촌 의제를 만드는가’를 주제로 토마스 프리드먼과 함께 시장과 경제 통합의 흐름 속에서 힘의 균형과 협력을 위해 정부와 미디어 기업 지도자들이 사회적 책임을 다해야 한다고 강조했다.

금융계에서는 세계적인 투자자 조지 소로스 소로스펀드 회장,

헤지펀드업계의 세계적 슈퍼스타인 루이스 베이컨 무어캐피털매니지먼트 CEO, 칼라일 공동 설립자인 윌리엄 콘웨이와 데이비드 루벤스타인, 피터 서덜랜드 골드만삭스 회장, 찰스 프린스 시티그룹 회장 등이 금융 문제와 해지펀드의 투명성 등과 관련한 의제를 화두로 던졌다.

국제기구에서도 폴 울포워츠 세계은행 총재, 하루히코 구로다 아시아개발은행 총재, 장클로드 트리셰 유럽중앙은행 총재 등이 참석했다.

학계에서는 '모든 아이들마다 한 대의 노트북(OLPC)' 프로젝트를 추진해 전 세계 초미의 관심을 불러일으킨 니콜라스 네그로폰테 미국 MIT대학 교수, 리처드 레빈 예일대 총장, 2006 노벨경제학상 수상자인 에드먼드 펠프스 컬럼비아대 교수, 마이클 포터 하버드 경영대학원 교수, 케네스 로고프 하버드대 경제학 교수 등이 동참했다.

문화계에서도 가수 피터 가브리엘, 영국의 와인 비평가 잰시스 로빈슨, 미술가 샤지아 시칸더 등이 참석해 자리를 빛냈다.

I 힘의 이동 시대

"중국과 인도가 패권을 잡으면 어떻게 되겠는가?
중국, 인도만 좋은 것이 아니라, 세계에도 좋다.
세계화는 단순히 국경이나 무역만이 아니라 그곳의 수많은 사람들에
대해 말해야 하는 것이다."

수닐 바르티 미탈, 바르티 엔터프라이즈 회장
중국과 인도의 성장에 대해 운을 띄우며.

"러시아 발전은 놀라운 일이지만,
러시아에는 근본적인 변화가 필요하다.
우리는 러시아의 발전을 돕고 싶지만, 러시아가 먼저 변해야 한다."

네빌 이스델, 코카콜라 회장
러시아에 개혁을 촉구하며.

1

왜 권력이동이 논의되는가?

왜 '힘의 이동'이 지구촌의 화두로 등장한 걸까? 실제로 힘의 이동은 일어나고 있는 걸까? 힘의 이동이 국가와 경제, 사회, 기업에 어떤 의미가 있는 걸까? 다보스포럼은 힘의 이동 속에 위기와 기회가 함께 숨어 있다고 조언하고 있다.
힘의 이동 방향을 정확히 읽고 길목을 지키면 승자가 될 것이요, 이 길목을 외면하면 패자가 되어 시대의 낙오자가 될 수밖에 없다.

기회 찾지 못하면 패자가 된다

'지구촌의 힘이 이동하고 있다. 그 힘(Power)의 향방을 주시하라.' 다보스포럼은 지구촌을 움직이는 힘의 축에 균열이 생겼다고 진단하고 있다. 공간적으로 미국과 유럽에서 아시아의 중국, 인도로, 시장에서는 생산자에서 소비자로, 커뮤니티에서는 기관에서 개인으로, 생산현장에서는 제조업자에서 부품·원재료 공급업자로 힘의 축이 이동하고 있다.

이 같은 '힘의 이동'은 위기인가, 아니면 새로운 기회인가?

미국과 유럽의 기업들은 이 같은 '힘의 이동 시대'를 맞아 새로운 부와 성장 동력을 찾기 위해 신흥국가에 돈을 쏟아 붓고 있다. 신흥국가에는 돈이 몰리고 이들 국가에는 새로운 재벌기업이 탄생하고 있다. 높은 경제성장률을 자랑하며 파워의 주역이 되기 위해 전력투구하고 있다.

힘의 이동 양상

미국 · 유럽	➔	중국 · 인도
생산자	➔	소비자
기관	➔	개인
제조업자	➔	부품업자

이에 따라 BRICs* 시대 이후 포스트 BRICs 시대를 열 국가들이 급부상하고 있다. 'Next-11*', 'BRICKS*', 'VRICs*', 'TVT*' 등 아시아 국가들의 파워를 나타내는 신조어가 새롭게 떠오르고 있다. 이러한 신조어는 신흥경제의 파워를 웅변해 주고 있다.

이러한 '힘의 이동 시대'에도 환경과 빈곤문제, 핵 확산과 같은 새로운 이슈들이 지구촌의 불확실성을 높이고 있다. 새삼 권력이동이 논의되는 것은 미국과 유럽의 기득권 세력이 자칫 신흥경제에 기회를 잃을 수 있다는 경각심을 일깨우기 위한 것이다.

BRICs, Next 11, BRICKS, VRICs, TVT

BRICs : 브라질, 러시아, 인도, 중국
Next 11 : 한국, 방글라데시, 이집트, 인도네시아, 이란, 멕시코, 나이지리아, 파키스탄, 필리핀, 터키, 베트남
BRICKS : BRICs + 카자흐스탄, 남아프리카공화국
VRICs : 베트남, 러시아, 인도, 중국
TVT : 터키, 베트남, 타이완

‘힘의 방정식’은 어떻게 바뀌나?

미래의 승자가 되려면 지구촌을 움직이는 ‘힘의 방정식’을 이해해야 한다. 힘의 방정식을 기초로 미래 전략을 짰을 때 성공가능성은 훨씬 높아지기 때문이다. 이런 점에서 힘을 얻고 있는 중국과 인도 같은 신흥경제와 힘을 잃고 있는 미국, 새롭게 힘을 쌓아가고 있는 유럽 등 국가 간 ‘힘의 방정식’이 어떻게 만들어지고 있는지 주목할 필요가 있다. 현재의 ‘힘의 방정식’은 여러 변수가 섞여 복잡한 역학관계를 만드는 ‘진행형’이다.

경제력이 만들어내는 ‘힘의 역학관계’

X+Y=Z, 즉 ‘큰 미국(America) + 유럽 = 세계경제’였던 힘의 방정식이 신흥시장의 부상으로 완전히 바뀌고 있다. 바로 ‘신흥시장(중국 + 인도) + 작은 미국 + 커지는 유럽 = 세계경제’이다. 그래서 다보스포럼은 현재의 지구촌 역학관계를 ‘힘의 방정식의 변화(The Shifting Power Equation)’라는 화두로 대변하고 있다. 지구촌 힘의 방정식이 새롭게 짜여지고 있는 것이다.

과거 미국과 유럽이 힘의 방정식에서 핵심적인 역할을 했다면, 21세기에는 아시아를 중심으로 한 신흥국가들이 세계경제 성장에

다보스가 제시하는 4대 힘의 이동

경제	북미 · 유럽시장	→	신흥시장
	블루컬러	→	중류층 근로자
	정부투자기관	→	민간 기업
지정학	미국 · 유럽	→	아시아 · 신흥국가
비즈니스	다국적기업	→	신흥 기업
	사회책임경영	→	지속가능한 성장
	생산자	→	소비자
기술과 사회	기관	→	개인
	청장년층	→	고령층

더욱 중요한 역할을 할 것이라는 전망이다. 따라서 아시아와 신흥국가들은 힘의 방정식의 주역이 되기 위해 각축전을 벌이고 있다.

새로운 '힘의 방정식' 의 생성과정은 매우 복잡하다.

우선 지리적 측면에서 새로운 '힘의 방정식' 이 생겨나고 있다. 힘의 공간이동이 시작되었기 때문이다. 경제적 파워는 물론 지정학적 파워가 중국과 인도와 같은 신흥경제의 부상으로 아시아와 남미, 아프리카로 이동하고 있다. 강한 달러화와 막강한 소비시장으로 글로벌 파워를 과시하던 '큰 미국' 은 쌍둥이석자(무역적자와 재정적자)로 '작은 미국' 이 되고 있다. 게다가 유로화의 부상으로 달러화의 미래도 불안정하다. 유로화와 EU라는 지역경제통합을 완성한 유럽은 이를 앞세워 세력을 확대해 나가고 있다.

정보통신혁명으로 시작된 네트워크 커뮤니티는 커뮤니케이션의 힘의 무게를 단체나 기관으로부터 개인과 소그룹으로 옮겨놓고 있다. 원자재를 무기로 한 신흥 자원국의 힘도 커지고 있다.

소비자의 힘이 강해지면서 시장에서 이들의 역할이 커지고 있다. 생산자의 혁신을 이끌어내는 주체가 되고 있는 것이다. 기업들은 수익 창출을 위해, 전 세계 시장을 폭넓게 활용하기 위해 뛰어야 살아남을 수 있다. 과거 막강한 파워를 행사했던 제조업자의 힘이 약해지고 부품과 원재료 공급자의 힘은 더 강력해지고 있다.

이제 기업경영자들과 근로자들은 '힘의 이동 시대에 새로운 성장동력은 무엇이 될까', 기업들은 '하나로 통합되는 연결사회에서 어떤 리더십으로 기업을 지켜나갈 것인가'를 고민해야 한다. 나아가 '새로운 이해관계자(Stakeholders)의 등장으로 생기는 도전과 경쟁원리를 어떻게 뛰어넘을 것인가', '소비자의 정체성과 커뮤니티의 본질을 어떻게 꿰뚫고 기술과 과학의 진화, 인구의 변화에 어떻게 대처할 것인가'에 대한 지혜를 모아야 한다.

새로운 패러다임이 지배하는 '힘의 이동 시대'의 생존법칙을 찾아내야 새로운 승자로 부상할 수 있기 때문이다.

3

미래 승자가 되는 방법은?

어떻게 하면 미래의 승자가 될 수 있을까? 미래의 승자가 되려면 창조적 지식이 필요하다. 미래를 미리 내다보는 예지력이 있어야 한다. '힘의 이동 시대'를 선도하는 파워의 본질을 이해해야 한다.
정보혁명이 몰고 올 시장의 변화, 경제력을 확보한 신흥 기업의 등장, 글로벌 정세의 변화, 인구구조의 변동, 글로벌 리스크 등을 미리 예견해 전략적 시나리오를 만들어야 한다.

힘의 이동을 찾아 길목 지켜야

'힘의 이동 시대'를 논의할 때 핵심은 우리 사회와 기업, 국가가 지구촌의 권력방정식, 즉 파워 경쟁에서 어떻게 주도적인 역할을 할 것인가이다. 결국 '힘의 이동'을 읽는 자, '힘의 향방' 속에서 기회를 찾는 자가 미래의 승자가 될 수 있기 때문이다.

다보스포럼은 기술과 사회, 경제, 지정학, 비즈니스 쪽에서 4대 힘의 축이 이동하고 있다고 진단했다. 기술의 진화는 개개인의 커뮤니케이션 파워를 키워 상대적으로 기관의 힘을 약화시키고 있다. 그리고 블로그, 인터넷 카페, 동호회 등 새로운 커뮤니티망

(Community Network)의 등장으로 인해 기존의 전통적인 종속관계와 정체성이 흔들리고 있다. 특히 영상파일 공유 사이트인 유튜브(YouTube), 개인 블로그 사이트인 마이스페이스(MySpace)로 대표되는 개인 미디어의 확산은 정보유통 흐름에 혁명을 가져다주고 있다.

고령화와 저출산의 영향은 어떤가? 평균수명의 증가와 출산율 저하로 인해 지구촌 인구구조에 변혁을 가져올 것이다. 일본과 유럽 등 고령인구가 많은 국가는 경제활동인구가 부족하게 되고, 인도와 방글라데시, 인도네시아, 중국 등의 '피플 파워'가 머지않아 발휘될 것이라는 전망이다.

이로 인해 사회적 충격이 거세지고 있다. 국가에 따라 힘의 이동은 고령 인구와 젊은 세대로 양분되고 있다. 각국은 국가적 특수성을 고려해 힘의 이동을 겨냥한 새로운 국가경영 전략이 필요하다.

선진국의 고령화 사회는 노령층이 권력중심에 자리잡고 있고 신흥경제 사회는 권력이 청장년층으로 옮겨지고 있다.

중국과 인도, 즉 친디아(Chindia) 등 새로운 경제적 파워를 가진 국가로, 서구에서 아시아로 힘의 축이 이동하고 있다. 다보스포럼은 새로운 파워를 가진 국가의 등장이 미국의 지배력을 약화시키고 있다고 진단했다.

경제성장에 매진한 이들 국가들의 에너지 소비가 급증하고 있고 이로 인해 에너지 문제가 세계의 성장을 좌초시킬 불안요소로 등장하고 있기 때문이다.

이러한 문제를 해결하기 위해 다보스포럼은 에너지 안보* 문제를 국제적 협력과 외교정책의 우선과제로 채택할 것을 권고하고 있다. 위협요소가 국가 이슈가 아닌 에너지, 테러문제와 같은 비국가적 요소로 바뀌어 가고 있다는 것이다.

혁신 주체로 등장한 소비자

신흥시장이 세계 생산량의 50% 이상을 차지하며 예상보다 빨리 경제적 파워의 주역이 되고 있다. 2006년은 신흥시장이 전 세계 GDP의 절반 이상을 차지하게 된 경이적인 해였다.

직업 안정에 대한 우려가 커짐에 따라 보호주의의 색채가 블루컬러로부터 중류층 근로자로 이동하고 있으며, 정부 투자기업보다

에너지 안보(Energy Security)

에너지 위기로 인해 초래되는 에너지 가격의 불안으로부터 해방돼 안정적으로 에너지를 확보하려는 국가 에너지 정책을 일컫는다. 경제성장을 지속적으로 이끌기 위해 안정적인 가격에 에너지를 조달한다는 측면에서 안보(security)의 의미가 가미됐다. 에너지 확보에 실패하면 '경제 안보'를 담보할 수 없기 때문이다.
에너지 인프라의 파괴, 테러, 전쟁 등은 에너지 안보의 치명적인 위협요소다. 에너지 안보는 에너지 가격이 급등세를 보였던 2003년 이후, 세계 각국이 에너지를 적정한 가격에 안정적으로 확보하기 위해 적극적으로 나서면서 전면에 등장했다.
에너지 안보를 지키기 위해선 가격 변동을 최소화하고 공급량을 안정적으로 확보해야 한다. 이를 위한 방법으로, 에너지 보유국과의 외교적 관계를 강화시켜야 하며, 에너지 수입선도 다변화해야 한다. 궁극적인 해결책으로는 에너지 수요를 줄이는 방안이 있다.

"
미래 기업은
아이디어가 살아 숨쉬는
창의적인 조직을 만드는 게 중요하다.
"

라케시 쿠라나, 하버드대 교수

민간 투자기업에 대한 선호도가 증가하고 있다. 글로벌 기업들은 새로운 파워 센터의 구축과 혁신적 기술, 제휴관계의 확대를 통해 국경을 초월해 기업을 운영하고 있다.

신흥시장에서 새로운 기업들이 등장하면서 산업구조가 새롭게 재편되고 자본을 끌어들이기 위한 경쟁도 심화되고 있다. 사회적 책임 경영 문제는 기업의 기본이 됐다. 앞으로는 기업이 사회적 책임을 다하면서 지속가능한 성장, 수익성 경영을 어떻게 실현할 것이냐에 초점이 맞춰진다. 또한 생산자가 아닌 소비자가 혁신을 촉발하는 주체로 등장하고 있다.

다보스포럼은 이 같은 4개 분야에서의 힘의 이동 원리를 진단해 미래경영에 적극 대비하는 기업과 국가, 사회만이 새로운 기회를 찾을 수 있고 낙오하지 않을 것이라고 단언한다.

글로벌 리스크를 어떻게 이해할 것인가?

리스크는 잘 나가는 기업과 사회의 미래를 암울하게 할 수 있다. 다보스포럼은 지구 온난화를 비롯해 미국의 쌍둥이적자, 핵 확산, 펀드 자본주의, 세계화에 대한 반발 등이 국제사회의 번영을 침해할 수 있다고 경고하고 있다. 이런 점에서 리스크를 이해하고 이를 대비하는 자세, 리스크 발생을 막기 위해 국제사회와 협력하는 보다 적극적인 참여경영이 요구되고 있다.

지구촌 위협요소를 직시해야

불확실성(Uncertainty)은 기업과 사회의 위협요소다. 그렇다면 다보스포럼이 전망하는 전 세계를 위협할 최대의 핵심 불확실성은 무엇일까?

다보스포럼은 지구촌 성장을 저해할 주요 불확실성 요소로 ① 기후변화, ② 미국 경제 연착륙 문제, ③ 문화 충돌, ④ 핵무기 확산, ⑤ 지적재산권 보호 문제, ⑥ 펀드 자본주의 강화, ⑦ 글로벌라이제이션에 대한 반감 등을 손꼽았다.

다보스포럼에서 제시한 지구촌 7대 불확실성

1. 안보 위협할 기후변화
2. 미국 경제 연착륙 문제
3. 서방과 중동 간 문화 충돌
4. 힘 잃는 핵확산금지조약
5. 지적재산권 보호 문제
6. 펀드 자본주의의 강화
7. 세계화에 대한 반감

불확실성은 기업과 사회의 위협요소다.
글로벌 리스크를 이해하고
이에 대비하는 지혜가 요구된다.

기후변화는 세계 안보를 위협할 대표적인 잠재 위험요인으로 꼽힌다. 2,500여 명의 글로벌 리더들은 기후변화가 지구촌의 최대 위협요소라는 데 만장일치로 동의하고 있다. 일각에서는 기후변화로 인해 조만간 폭동, 전쟁까지 일어날 수 있다고 경고한다. 기후변화로 인해 상대적으로 큰 피해를 볼 수 있는 국가가 나올 수 있는데다 이를 해결하려는 국가 간 공조 노력이 큰 진전을 이루지 못하고 있기 때문이다.

현재까지 미국경제는 연착륙 기조를 유지하고 있는 것으로 판단된다. 2007년 성장세는 둔화되겠지만 경제성장률 3%대 전후의 연착륙에는 성공할 것이라는 전망이 우세하다. 그러나 주택경기 하락폭이 확대될 경우, 경제성장률이 2%대 초반 이하로 떨어질 수 있다는 염려의 목소리도 나오고 있다.

서방국가와 중동국가 간 문화 충돌 문제 역시 지구촌을 위협하는 위험요소다. 이들 세력 간 대화의 중요성이 끊임없이 강조되고 있지만 대화 재개에 난항이 지속되면서 전 세계적으로 테러가 발생하고 있으며 이는 글로벌 질서를 어지럽히는 요인이 되고 있다.

유명무실해지고 있는 핵확산금지조약(NPT) 역시 세계 평화에 큰 위협요소다. NPT를 무시하고 핵무기 실험을 강행하는 국가들이 나오고 있고, 이는 또 주변국의 핵무기 보유 의지를 강화시키는 계기가 되고 있다. 핵실험 강행 국가에 어떤 공동 제재 조치를 취할 수 있는지, 핵무기를 보유하지 않은 국가에 어떤 인센티브를 줄 것인지 등에 대해서 미국 등 슈퍼 파워들이 진지한 고민을 해야 한다고 세계 석학들을 지적한다.

지적재산권 보호 문제는 혁신을 추구하기 위한 기본적인 전제조건이다. 그러나 신흥시장국가에서는 이러한 지적재산권 보호 문제가 상대적으로 소홀히 다뤄지고 있다. 인터넷 저작권 문제도 논란의 대상이 될 전망이다.

금융시장은 물론, 기업경영에 있어 펀드가 강력한 영향력을 행사하는 소위 '펀드 자본주의*' 에 대한 논란도 전 세계적으로 가열되고 있다. '펀드 자본주의' 는 주주가 경영자의 독단적 경영을 감시해야 한다는 주주 행동주의에 기반을 두고 있다. 기업 투명성 제

펀드 자본주의

연기금, 뮤추얼펀드, 사모펀드, 헤지펀드 등 펀드들이 막강한 자본을 앞세워 금융시장은 물론 기업인수 · 합병, 기업경영에 막강한 영향력을 행사하는 현상.
기업의 지분을 보유한 펀드가 기업 경영에 영향을 미치는 현대 자본주의를 일컫는다. 기업의 지배권에 막대한 영향력을 행사한다는 점에서 새로운 권력으로 간주되고 있다. 20세기 후반 등장한 펀드 자본주의는 막대한 투자 자본을 바탕으로 기업에 지배구조 개선이나 경영방향 전환을 요구하는 형식으로 기업 경영에 참여한다. 펀드 자본주의는 G.L.클라크 하버드대 교수가 처음 사용한 용어다.

고 등의 긍정적인 기능이 있지만 무분별한 기업사냥으로 기업경영의 안정성을 저해할 수 있다는 비판도 함께 나오고 있다.

세계화, 즉 글로벌라이제이션에 대한 반감도 해결해야 할 주요 과제로 지적되고 있다. 다보스포럼은 전 세계 65억 인구 가운데 절반인 30억 명 정도가 세계화의 혜택에서 배제돼 있다고 진단했다.

이 같은 배경지식을 바탕으로 이제 거대 힘이 이동하고 있는 현주소로 여행을 떠나보자. 관전 포인트는 현재의 나를 둘러싼 파워의 주체가 미래 사회를 어떻게 바꿔놓을지에 대한 '큰 그림'이다. '권력 이동' 속에서 개혁의 주체가 되느냐, 방관자가 되느냐는 자신의 선택에 달려 있다.

II 힘의 이동 - 경제 현장에서

“음…. 많은 사람들이 내가 성직자가 됐기를 희망하기 때문에
이런 환호는 아량이 있는 것인지 아닌지 잘 모르겠다.”

토니 블레어, 영국 총리
청중으로부터 “당신이 성직자가 됐으면 좋았을 텐데”라는
말을 듣고 나온 환호에 답하면서.

“오늘날의 경제는 마크 트웨인이
바그너의 음악에 대해 평한 것과 같다.
소문보단 시끄럽지 않은데?”

제이콥 프랑켈, AIG 그룹 부회장
경제가 그다지 비관적이지 않다며.

1

이머징 마켓의 부상

어느 나라가 이머징 마켓(Emerging Market, 신흥시장)*으로 떠오르고 있는가? 과연 그들이 지구촌의 주도세력으로 부상할 것인가? 그들의 파워는 어디에서 나오는 것일까?
분명히 이머징 마켓은 세계경제를 이끄는 새로운 엔진이 되고 있다. 우리는 어떤 형태로 이들 국가와 관계를 맺을 것인가, 어떻게 국가적 협력관계를 구축할 것인가를 고민해야 한다.

아시아 시대를 예고하는 신조어들

'힘의 이동'은 이미 지구촌 곳곳에서 진행 중에 있다. 'Next-11', 'BRICKS', 'VRICs' 등의 신조어는 이 같은 '힘의 이동'을 발해 주고 있다. 이들 신조어의 공통점은 'BRICs(브라질, 러시아, 인도, 중국) 시대'를 이을 파워센터를 예고하고 있다는 점이다.

Next-11은 미국 투자은행 골드만삭스가 BRICs 이후 새롭게 내놓은 용어로, 방글라데시, 이집트, 인도네시아, 이란, 한국, 멕시코, 나이지리아, 파키스탄, 필리핀, 터키, 베트남 등 11개국을 지칭한다.

BRICKS는 기존 BRICs 국가에 카자흐스탄의 K, 남아공화국의 S를 추가한 것이며, VRICs는 기존 BRICs 국가에 브라질 대신 베트남의 V를 넣은 것이다. 그만큼 아시아로 힘이 쏠리고 있음을 나타낸다.

다보스포럼은 이러한 '힘의 이동'에 주목하고, 지구촌 경제성장을 이끄는 '성장 엔진'이 교체되고 있다고 진단했다. 미국과 유럽 중심의 성장엔진이 수명을 다하고 기력을 잃게 됨에 따라 세계경제는 아시아와 아프리카, 남미 등 이머징 마켓(신흥시장)을 이끄는 새로운 엔진의 힘에 점차 의존하고 있다는 분석이다.

이는 세계경제의 파워 센터가 미국과 유럽에서 아시아와 같은 신

이머징 마켓의 경제성장

	실제 GDP		
	평균 2002~2004	2005	2006
중국	9.7	9.9	9.6
홍콩	4.5	7.3	5.3
인도	6.6	8.3	7.5
한국	4.9	4.0	5.2
나머지 아시아[1]	5.1	5.0	4.8
브라질	2.5	2.2	3.5
멕시코	2.1	3.0	4.0
중부 유럽[2]	3.5	4.0	4.8
러시아	6.4	6.4	6.2
터키	7.5	7.4	5.3

1 인도네시아, 말레이시아, 필리핀, 싱가포르, 대만, 태국
2 체코, 헝가리, 폴란드

(단위: %)

Source : IMF, Consensus Economics, JP모건

흥시장으로 옮겨가고 있음을 시사한다.

그러나 이 과정에서 미국과 유럽이 완전히 힘을 잃지는 않을 전망이다. 상대적인 힘의 균형이 신흥경제국가로 쏠린다는 시각이 지배적이다.

하지만 아무도 미래 지구촌의 모습을 단언할 수 없다. 미국과 유럽이 몰락하고 아시아 시대가 활짝 열릴지도 모르는 일이다. 이에 대해 미래학자 앨빈 토플러조차 그의 저서 《부의 미래*Revolutionary Wealth*》에서 아시아의 부상을 말하면서도 아시아 시대가 열릴지에 대해서는 단언하지 못했다.

글로벌기업들은 미국과 유럽 중심이었던 경제 패턴과 교역 시스템을 이들 신흥국가 중심으로 재조정하고 있다. 권력을 만들어내는 중심 국가를 외면하면 기회를 잡기 어렵기 때문이다. 다보스포럼은 지난 수년간 세계를 이끄는 경제적인 힘은 미국의 왕성한 소비 수요였지만 이제 중국과 신흥시장이 바통을 이어받고 있다고 분석하고 있다. 이들 지역에서의 투자수요에 힘입어 세계경제를 구동시키는 엔진이 성능을 발휘하고 있다는 지적이다.

새로운 파워 센터로 부상하고 있는 나라는 아시아의 중국과 인도, 베트남, 한국, 필리핀, 방글라데시, 터키, 인도네시아, 카자흐스탄, 동유럽의 러시아, 남미의 멕시코, 브라질, 아프리카의 남아프리카, 이집트, 나이지리아 등이다.

반면 수세기 동안 세계경제 성장의 엔진을 자처해 왔던 미국과 유럽은 성숙단계에 도달해 새로운 혁신을 필요로 하고 있다. 그렇지만 결코 모든 힘을 신흥시장에 내놓지는 않을 것으로 보인다.

앙겔라 메르켈 독일 총리는 "지난 200년 간 유럽 국가들이 유럽 중심적인 사고를 했던 것은 사실이고, 이는 절대적으로 잘못된 생각"이라며 "생각의 패러다임을 바꿔나갈 때"라고 말한 바 있다.

미국 소비자가 세계경제를 견인하는 주요 기관차 역할을 해왔지만 중국과 브라질, 러시아, 인도 등 4개국이 처음으로 전 세계 GDP의 40%를 차지하면서 경제적 파워가 이들 국가로 이동하고 있는 것이다.

경제력의 이동에 따른 힘의 분산은 예상보다 빠르게 진행되고 있다. 특히 아시아 소비자들이 세계시장의 수요 측면에서 점차 중요한 역할을 하고 있다.

이머징 마켓(Emerging Market)

이머징 마켓은 개발도상국의 신흥시장을 뜻한다. 미국 · 유럽 등 기존의 선진국 시장과는 달리 새롭게 떠오르고 있는 국가들의 신흥시장을 총체적으로 일컫는 말이다. 이는 선진국(developed country)의 대칭적인 개념으로 사용되며 새롭게 떠오르는 경제라는 측면에서 붙여진 용어다.

최근에는 BRICs(브릭스), 즉 브라질, 러시아, 인도, 중국 등 4개국이 이머징 마켓의 대표주자가 되고 있으며 베트남, 남아프리카공화국, 멕시코, 아르헨티나, 카자흐스탄 등의 국가도 새롭게 신흥시장으로 부상하고 있다.

이머징 마켓에는, 특히 성장의 기회를 찾기 위해 많은 자본이 몰린다. 이에 따라 금융시장 측면에서 자본시장이 급성장세를 보이고 있다. 이들 신흥시장은 상대적으로 경제성장률이 높고, 산업화가 빠른 속도로 진행되는 특징을 보인다.

힘의 부상에 맞서는 세력들

경제적 힘의 이동이 경제 지도를 바꿔놓는 사이, 또다시 '힘의 대열' 에서 밀려날 위기를 느끼는 세력들이 거세게 저항하고 있다. 그 대표적인 세력이 중산층이다. 이들은 임금과 고용불안, 심화된 경쟁으로 스트레스를 받고 있다.

세계경제가 자본과 상품, 서비스의 자유로운 이동으로부터 전반적인 이익을 얻고 있지만 전 세계 중산층 대부분은 현재의 경제성장에서 그들이 가져야 할 정당한 몫을 가져가지 못하고 있다고 불평한다.

이로 인해 고용창출과 고용보장이란 두 가지 문제가 '쌍둥이 선결과제' 가 됐다. 미국과 유럽연합(EU)이 세계경제에서 이해득실을 따지며 '힘의 대열' 에서 낙오하지 않기 위해 안간힘을 쓰고 있는 것도 이 때문이다.

도하라운드 협상*에 대한 불만스런 결과는 세계가 지구촌 경제문제에 대한 공감대를 형성하는 데 실패하고 있음을 시사한다. 점차 각 나라는 역내 경제통합과 양자 자유무역협정에 몰두하게 될 전망이다.

위기를 인식한 세계 30개국 통상대표는 2007년 다보스포럼에서 회담을 갖고 도하라운드의 재개에 합의했지만 협상은 쉽지 않을 전망이다. 무역장벽을 낮추고 보조금을 대폭 감축한다는 목표를 가지고 수많은 시간을 보냈지만 워낙 많은 나라가 제각각 목소리를 내기 때문에 진통이 예상된다.

이러한 부진한 협상은 WTO의 위기설을 대변하고 있다. 에너지 소비가 늘면서 자원보유국의 몸값이 치솟고 있으며, 에너지 부족 국가는 연료 확보에 대한 우려가 커지면서 불안을 느끼고 있다.

에너지 안보(Energy Security)에 대한 탐닉은 궁극적으로 경제 딜레마를 야기할지도 모른다. 손댈 수 없는 기후변화의 영향으로 장기적으로 저가 연료에 대한 수요를 비용측면에서 맞출 수 없게 될 수도 있기 때문이다.

달러 자산가의 불안도 커지고 있다. 달러화가 힘을 잃게 될 경우 자산 가치가 급락하기 때문이다. 미국 경제불균형에 대한 두려움은 달러화에 대한 신뢰를 흔들리게 하고 있다. 반면에 오르는 유로화는 유럽의 수출산업을 불안하게 한다. 강해지는 유로화는 유로 자산가에게 힘을 실어주고 있다.

일본과 동남아시아 경제는 꾸준히 회복세를 보이며 새로운 희망을 일궈가고 있다. 미국 경제 하락에 대한 전망은 집값 하락과 제조업 침체라고 하는 두 개의 비관론에 근거를 두고 있다. 하지만 주식시장과 낮은 인플레이션율이 미국의 안정적인 성장을 지탱하고 있다.

도하라운드 협상(Doha Development Agenda)

DDA로도 불리며 2001년 11월 14일 도하에서 열린 세계무역기구(WTO) 제4차 다자간 무역협상을 말한다. 회원국들은 도하에서 '각료선언문' 채택에 합의, 3년간 농업 · 서비스업 · 수산업 · 반덤핑 분야 개별협상을 진행해 2005년 1월 1일까지 공산품 · 농산품 · 서비스업 등 각 분야 시장 개방협상을 마칠 계획이었다.

그러나 2006년 7월 각국의 이해관계가 달라 협상이 결렬된 뒤 교착상태에 빠졌으며, 2007년 다보스포럼에서 30개국 통상장관이 모여 협상을 재개하기로 합의했다.

동아시아의 경제통합 논의들

아시아의 외환보유고는 거의 3조 달러로 세계외환보유고(4조 7,000억 달러)의 64%에 달한다. 중국은 지난 2006년 10월로 외환보유고 1조 달러시대를 열었다. 중국에 이어 일본(8,856억 달러)과 대만(2,618억 달러), 러시아(2,666억 달러)도 막강한 외환보유고를 자랑하고 있다. 참고로 한국은 2,296억 달러로 세계 5위의 규모다.

이 같은 막대한 규모의 달러는 세계 자본흐름에 영향을 미쳐 세계의 석유, 철강, 상품 가격은 물론 환율과 이자율을 결정하는 주요 요소가 되고 있다. 특히 미국과 유럽의 지역화에 맞서 아시아도 경제통합을 이루려는 노력이 활발하다. 아세안(ASEAN)과 한·중·일이 참여하는 동아시아 FTA(East Asia FTA)가 추진되고 있고 아시아통화기금(Asia Monetary Fund)이나 아시아 단일 통화(Asia

TOP 5 외환보유고

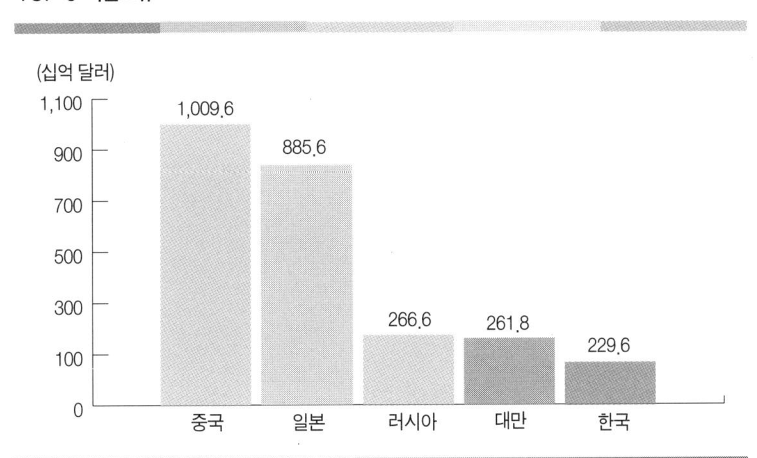

Source : 각국 중앙은행 집계

Currency Uni)가 논의되고 있다.

이 같은 지역경제 통합 움직임은 동아시아 경제가 일본 주도에서 중국 주도로 전환되면서 심화되고 있다. 과거 동아시아 경제는 생산제품의 역외 판매를 위해 세계화가 필연적이었지만, 중국이 급성장하면서 동아시아 국가들의 역내 무역과 투자가 세계화에서 지역화 형태로 변했기 때문이다. 게다가 아시아 금융위기 이후 미국과 유럽의 지역화에 대한 대응으로 제도적 협력기구의 필요성이 급속히 대두됐다.

외환위기로 촉발된 ASEAN+3(China, Japan, Korea) 정상회담(Summit)은 동아시아에서의 경제협력을 위한 제도적인 '경제협력체제'의 토대를 만들었다. 이 과정에서 2000년 들어 중국과 일본이 역내에서 세력 확대를 위해 FTA 경쟁을 벌이고 있다.

결국 동아시아의 경제통합은 아시아 GDP의 90%를 차지하고 있는 중국과 일본, 한국의 역할이 중요할 것으로 보인다. 3개국은 역내의 장기성장뿐만 아니라 아시아 통합을 위한 비전을 실현하는 데 있어서도 매우 중요하다.

한·중·일은 '힘의 주역'이 될 수 있나?

지표상으로 동아시아 경제는 이미 통합의 길로 접어들었다. ASEAN+3, 홍콩, 대만의 역내 무역의존도는 지난 1990년 40.6%에서 지난 2005년 52.2%로 급증했다. 역외인 북미자유무역협정

(NAFTA) 지역 중심에서 이제 역내인 아시아로 비즈니스 무대가 바뀐 것이다.

인프라스트럭처(Infrastructure)를 통한 아시아 통합은 빠른 속도로 진행되고 있다. 아시아 횡단철도, 아시안 고속도로, 동북아 열차-페리, 아시아횡단 광케이블, 팬아시아 천연가스라인 등의 프로젝트가 활발하게 진행되고 있다.

이 같은 인프라는 아시아의 실질적인 통합을 앞당기고 있다. 한국에는 아시안하이웨이(Asian Highway)에 대한 도로 표지판까지 등장했다. 이제 아시아는 하나의 공동체가 되기 위해 달려가고 있는 것이다.

지표상으로 본 경제적인 통합, 인프라를 통한 통합, 안보협력을 통한 통합이 하나의 아시아를 가속화하고 있지만 아시아의 제도적인 통합에는 아직도 많은 걸림돌이 도사리고 있다. 우선 중국과 일본의 주도권 싸움, 미국의 개입이 바로 그것이다. 또한 부족한 공동체의식, 역사적 갈등도 통합을 가로막는 장애요소가 되고 있다.

성공적인 통합을 위해 아시아 국가들은 공동번영을 향한 공감대를 형성해 나가야 하며 군사적 대립을 지양해야 한다. 중국, 인도, 파키스탄, 북한이 평화적 목적의 핵사용을 선언해 아시아의 공동번영을 위해 노력해야 하며, 문화적 · 인종적인 차이를 받아들여 새로운 아시아 시대를 열도록 해야 한다. 이런 점에서 6자회담을 통한 북한의 핵폐기 결정은 환영할 일이다.

따라서 아시아 국가들은 경쟁(Competition)과 협력(Cooperation)이라는 내용의 '투 코스(Two Cos)'를 실천해야 한다.

한 · 중 · 일이 부상하려면?

동상이몽 꿈 깨야

한국의 리더들은 한국이 아시아의 주도적인 위치를 지킬 것으로 보고 있을까?

조동성 서울대 교수는 한국과 중국, 일본이 아시아의 '힘의 중심' 으로 우뚝 서려면 북핵문제의 평화적 해결과 공식적인 경제기구 창설을 통해 역내 경제협력을 강화해야 한다는 입장이다. 그는 북핵처럼 동아시아의 통합을 저해하는 변수가 발생하더라도 이를 긍적적인 요소로 전환해 통합의 협력시대를 열어가는 게 중요하다고 강조한다. 이런 점에서 북한의 핵폐기 결정을 이끌어낸 6자회담을 긍정적으로 평가하고 있다.

조 교수는 "구매력기준 한 · 중 · 일의 GDP는 11조 9,000억 달러로 미국의 11조 6,000억 달러를 추월했다" 며 "3개국이 권력의 센터로 부상하고 있다" 고 분석했다. 그는 "역사 갈등, 자원확보 경쟁이란 두 요소가 통합을 저해하는 반면, 환경문제와 북핵 이슈가 통합을 위한 긍정요소로 작용할 수 있다" 며 "한 · 중 · 일은 같은 주제를 놓고 다른 생각을 하고 있는 게 문제" 라고 지적했다.

김병준 청와대 정책기획위원회 위원장은 "6자회담의 핵폐기 합의 결과, 북한의 미사일 발사는 본질적으로 방어적인 것이었으며 핵을 저비용 견제장치로 사용했다는 것을 알 수 있게 해줬다" 고 진단했다. 김 위원장은 "하지만 이러한 '보험성 정책비용' 은 외교적 고립으로 인해 점점 커지고 있다" 고 말했다.

“

미국은 대북정책에 있어 보다
신뢰성 있는 로드맵을
정확히 보여줘야 한다.

”

이근, 서울대 교수

이근 서울대 교수는 “미국의 대외정책은 ‘채찍’은 강한 반면 ‘당근’은 이에 크게 못 미친다”며 “당근과 채찍이 균형을 이룬 전략을 세우는 것이 가장 중요하다”는 입장을 폈다.

그는 이어 “미국이 대북정책에 대해 보다 신뢰성 있는 로드맵(장기계획)을 정확히 보여주고, 여기에 백악관 등 최고위층의 의도가 담겨있다는 점을 확실히 하는 게 동아시아 안보를 확보하는 길이다”라고 강조했다.

아시아 시대 열려면?

안보문제 해결해야 공동번영

아시아 국가는 ‘힘의 이동 시대’를 맞아 어떤 노력을 기울여야 아시아 번영의 시대를 열 수 있을까?

아시아의 리더들은 아시아가 공동번영 시대를 열려면 안보와 에너지, 환경문제 등 지역현안에 공동대처하는 한편, 지역 경제통합을 지속적으로 추진할 필요가 있다는 데 의견을 함께 하고 있다.

홍콩의 빅터 추 퍼스트 이스턴 투자그룹 회장은 "ASEAN+3(한·중·일)과 같은 지역 경제 통합 논의가 활발해 아시아 경제통합의 전망이 밝지만 테러위협, 북핵 문제, 에너지와 환경 문제 등이 낙관적인 전망을 상쇄시키고 있다"고 말했다.

아시아의 경제통합은 협력적 신뢰관계로 풀어야 한다는 논의도 나오고 있다.

인도네시아의 주서프 와난디 CSIS 위원은 "아시아는 역내 무역비중이 55%에 달할 정도로 NAFTA보다 그 비중이 높다"며 "아시아의 경제 통합은 유럽식의 톱다운이나 법률적 방식이 아니라 신뢰와 협력관계로 풀어나가야 한다"고 강조했다.

아쉬와니 쿰마 인도 상공부 장관은 "경제적 측면에서 역내 통합은 이미 상당한 진전이 이뤄진 상태며 중국과 인도의 부상은 역내의 번영을 강화시킬 것이다. 다른 아시아 국가들도 수출과 생산시설 이전을 통해 혜택을 입을 수 있다"고 전망했다. 하지만 그는 "기존의 다자협력 체제가 역내 국가들이 직면한 문제들을 해결할 능력이 있는지 의문스럽다"라고 말하기도 했다.

아시아의 경제통합은 경제적 격차문제 때문에 걸림돌이 많다는 사실을 인정하고 협력과 경쟁이 동시에 보장돼야 한다는 의견도 있다.

장대환 매일경제 회장은 "한반도는 아직 냉전이 끝나지 않았다"

“

아시아는 국가 간
경제격차를 인정하고 경쟁하면서
상호 협력해야 한다.

”

장대환, 매일경제신문 · TV 회장

는 점을 지적하면서 아시아가 경제성장을 지속할 수 있도록 긴밀한 협력체제를 구축해야 한다고 말했다. 그는 “아시아의 공동번영을 위해 국가 간 경제 격차를 인정하고 경쟁하면서 상호 협력하는 시스템을 만들어 나갈 필요가 있다”는 점을 강조했다.

다케나카 헤이조 전 일본 총무성 장관은 아시아 성장의 세 가지 제약 사항으로 식량문제와 에너지 부족, 아시아 경제의 이중 구조(dual structure)를 지적했다. 그는 일본의 관점에서 볼 때 도요타나 파나소닉처럼 글로벌 기업이 있는가 하면, 다른 한편으로 미개발된 농업, 은행 산업 등의 부조화가 문제라고 말했다.

부를 축적한 아시아 기업들, 즉 ‘동양 머니’의 서구 진출도 확산될 전망이다. 수파차이 파니치팍디 UNCTAD 사무총장은 동아시아의 성장은 서구 자산에 대한 투자를 늘려줄 것으로 예상되며, 무역체제와 금융시장의 불균형, 통화 불균형 등의 현상에 조정효과를 가져올 것으로 보인다고 전망했다.

세계경제 어디로 가나?

물가상승 없는 고성장 '골디락스'

세계경제는 어디로 가고 있나?

다보스포럼은 세계경제가 당분간 인플레이션 부담 없이 지속적으로 성장하는 '골디락스 경제(Goldilocks Economy)*'를 맞게 될 것으로 전망했다. 미국 경제와 세계경제가 따로 가는 디커플링(Decoupling)* 현상에 따른 것이다.

다보스포럼의 '2007 세계경제 세션'에서 로라 타이슨 UC버클리 경제학 교수(전 백악관 경제자문위원장)와 제이콥 프렝켈 AIG 부회장, 누리엘 루비니 미국 루비니 글로벌 이코노믹스 회장, 피터 검벨 타임지 기자 등은 세계경제가 2006년에 이어 2007년도 '골디락스 경제'를 만끽할 것으로 전망했다.

로라 타이슨은 "미국 투자와 중국 소비가 증가해 글로벌 경제의 건전한 재균형(Rebalancing)을 시사하는 고무적인 트렌드가 나타나

골디락스 경제(Goldilocks Economy)

경제가 높은 성장을 이루고 있더라도 물가 상승이 없는 상태, 즉 가장 이상적인 경제 상태를 말한다.
영국의 전래동화 《골디락스와 곰 세 마리 *Goldilocks and The Three Bears*》에 등장하는 소녀의 이름에서 유래한 용어로, 소녀의 금발머리를 뜻하는 골드(Gold)와 락(Lock, 머리카락)을 합쳐 생겨났다.
동화 속의 소녀는 곰이 끓인 세 가지 수프, 뜨거운 것과 차가운 것 그리고 적당한 것 중에서 적당한 것을 먹고 기뻐하는데 이것을 경제 상태에 비유해, 뜨겁지도 차갑지도 않은 호황을 의미한다.

“

미국 투자와 중국 소비가 증가해
세계경제는 골디락스 경제를
만끽할 것이다.

”

로라 타이슨, UC버클리 교수

고 있다"며 2007년은 또 다른 골디락스의 해가 될 것이라고 낙관했다. 그는 나아가 중국과 인도 등 신흥시장이 처음으로 세계 생산량의 50%를 차지하는 기록을 세웠다는 사실에 주목할 필요가 있다고 강조하기도 했다.

그는 2006년 유럽 경제가 미국 경제의 약세에도 불구하고 지난 수년간의 부진에서 벗어난 것도 세계경제에 긍정적인 요소라고 평가한다. 특히 타이슨은 "전 세계경제가 더 이상 단 하나의 기관차에만 의존하지 않는다"며 중국과 인도가 미국의 경기둔화를 보완할 것으로 단언했다.

미국 경제가 휘청거리더라도 디커플링 현상, 즉 신흥시장의 부상에 힘입어 세계경제에 미치는 충격은 적을 것이라는 전망이다.

중국의 민추 중국은행 부행장은 "중국은 2007년에 훨씬 더 나은 경제성장을 하게 될 것"이라며 "소비 증가로 고용안정이 유지되고 있어 중국 경제가 훨씬 더 균형을 잡아가게 될 것"이라고 말했다.

또 인도의 몬테크 알루왈리아 기획위원회 부위원장은 인도 경제는 사회간접자본 투자와 농업 개혁 개시 등에 힘입어 2008년에는 지금의 8.3%보다 더 높은 성장률을 기록할 것이라고 내다봤다.

제이콥 프렝켈 AIG 부회장은 "낙관적이기는 하지만 자신만만한 것은 아니다"며 단기적으로는 글로벌 경제 전망이 좋아 보이지만 고조되는 보호무역주의 등 장기적으로 부정적인 요소들에 우려를 나타냈다.

자본시장이 더 확대되고 심화되는 가운데 시간이 흐르면서 부드러운 조정절차를 거치게 될 것이라는 입장이다. 누리엘 루비니 미국 루비니 글로벌 이코노믹스 회장은 한발 더 나아가 세계경제에 대한 낙관론에 제동을 걸었다.

루비니 회장은 "바닥을 치지 않은 주택가격 침체와 신용경색의 시작, 유가의 배럴당 60달러 복귀 등 세 마리 곰이 골디락스의 대문을 노크하고 있다"고 경고했다.

그는 "미국인들이 자신들의 고(高)소비를 유지하기 위해 주택을 자동인출기처럼 사용하고 있어 신용경색과 은행 위기, 투자 감소

디커플링(Decoupling)

국가와 국가, 또는 한 국가와 세계의 경기 등이 같은 흐름을 보이지 않고 탈동조화하는 현상을 일컫는 말이다. 동조화(coupling)의 반대 개념으로 한 나라 또는 일정 국가의 경제가 인접한 다른 국가나 보편적인 세계경제의 흐름과는 달리 독자적인 경제 흐름을 보이는 현상을 나타낸다.
미국의 주가가 떨어지면 한국의 주가도 떨어지는 일이 잦은데 이것이 바로 동조화 현상 때문이다. 만일 세계경제가 미국의 경기추락과 관계없이 다른 국가들의 성장에 힘입어 성장세를 보인다면 이는 디커플링 사례가 된다.

“

중국은 소비 증가로
고용안정이 유지되고 있어
경제적 균형을 잡아갈 것이다.

”

민추, 중국은행 부행장

로 이어질 수 있다”며 “그럴 경우 세계경제 성장이 심각하게 위협받게 될 것”이라고 진단했다.

힘 잃는 달러의 미래

달러의 파워 상실에 대비하고 있는가?

세계경제의 미래는 미국경제와 신흥시장에 달려 있다. 구매력을 기준으로 한 GDP는 미국이 세계 1위, 중국과 인도가 2, 3위로 그 뒤를 잇고 있기 때문이다.

달러가격의 변화는 세계경제에 커다란 충격을 줄 수 있다.

미국이 이라크를 침공한 진짜 이유는 무엇이었을까? 세계 2위 산유국인 이라크에 대한 석유 지배권을 확보하기 위한 것이었을까? 그것은 바로 달러화의 헤게모니(Hegemony)를 지키기 위한 것이었다는 시각이 있다.

2000년 11월, 이라크는 원유 결제통화를 달러화에서 유로화로 전환했다. 이는 미국에 대한 도전이었다. 석유 수입대금 결제가 유로화로 바뀌면 달러화는 약세를 보이게 되고 달러화의 위상은 흔들릴 수밖에 없는 상황이었다.

미국 경제는 세계 기축통화인 달러화의 전 세계 지배권을 확보하지 못하면 무너질 수밖에 없다. 미국이 채무 변제를 위해 채권을 발행하면 세계 각국은 외환보유고를 채우기 위해 채권을 사들인다. 만약 달러화가 기축통화로서의 역할을 못한다면 다른 나라들이 사들일 이유가 없지 않겠는가? 여기에 달러화의 미래가 달려 있다.

언젠가는 달러의 막강한 파워가 붕괴될 것이다. 그 신비로운 힘이 사라질 때 세계경제는 혼란에 휩싸일 수밖에 없다. 네트워크 경제*는 세계를 긴밀하게 연결시키고 있기 때문에 달러화가 힘을 잃었을 때 충격을 최소화할 수 있어야 한다.

네트워크 경제(Networked Economy)

인터넷이 월드 와이드 웹으로 변모하면서 경제주체들을 하나로 연결시키고 있다. 네트워크 경제란 정보통신 기술의 발전으로 전 세계경제주체들이 서로 연결돼 다양한 경제활동을 효율적으로 수행하고 있는 글로벌 경제체제를 말한다. 네트워크 경제에서는 혁신이 빨라지고 제품의 수명도 짧아진다.
디지털과 네트워크로 연결되기 때문에 소유보다는 공유와 연결(Connect)이 중요하며 물적 자본보다 지적자본과 무형자본이 더욱 가치 있다. 이로 인해 종래 경제의 주역이었던 판매자와 구매자가 세력을 잃고 네트워크 경제에서는 공급자와 사용자가 새로운 주역으로 등장한다. 네트워크 경제에서 기업들은 전략적 제휴, 외부자원의 공유, 이익 공유 등을 통해 새로운 협력관계를 지속적으로 추구해 네트워크 경제에서 탈락하지 않도록 해야 한다.

다보스포럼은 달러가 '신비로운 힘'을 잃을 조짐을 보이고 있다고 말하고 있다. 중동 산유국들은 달러화를 기피하고 점차 유로화를 선호하고 있기 때문이다. 2003년 주요 산유국들은 달러 비중을 70% 아래로 낮췄다. 실제 달러가 파워를 유로화에 내어 줄까?

미국의 2006년 경상적자 규모는 8,690억 달러로 미국 국내총생산(GDP)의 6.6%에 달한다. 달러화의 가치는 최고 18%나 떨어졌고 계속 추락할 전망이다. 그럼에도 경상적자의 증가세에 발맞춰 달러화는 기축통화로서 헤게모니를 쥐고 있다.

블룸버그 TV의 마이클 맥키 편집장은 미국의 달러에 대한 정책변화, 달러 보유자들의 움직임, 특히 중국의 움직임에 주목하라고

원-달러 환율변동 추이

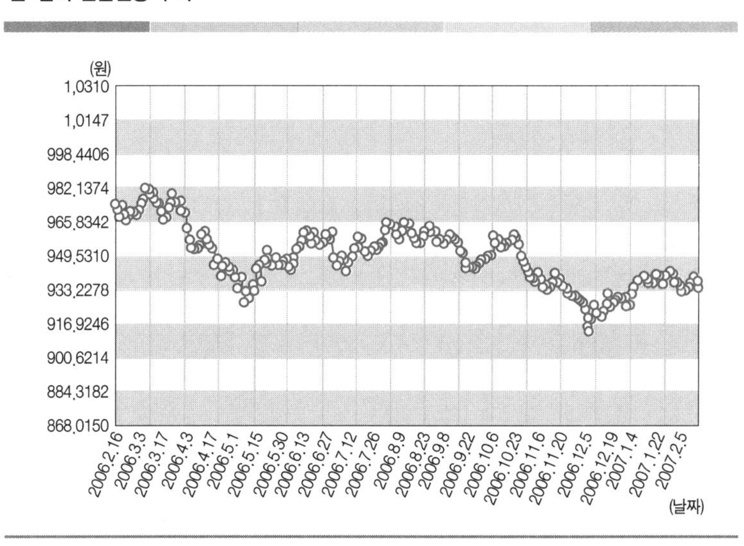

Source : 미 연방은행

유로-달러 환율변동 추이

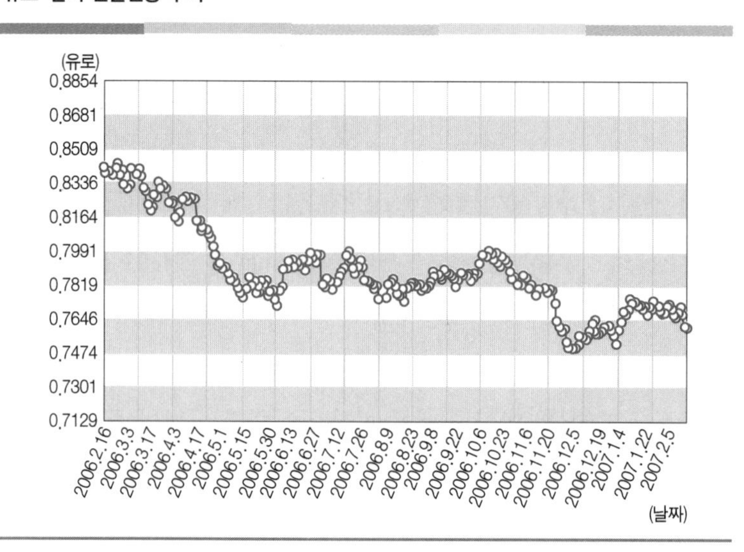

Source : 미 연방은행

미국 쌍둥이 적자

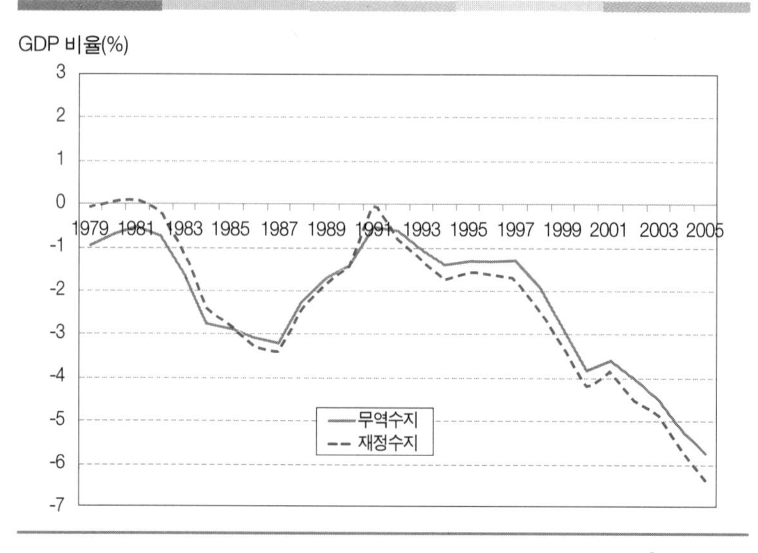

Source : IMF

권고했다.

맬콤 나이트 국제결제은행(BIS) 총재는 "세계경제의 불균형(Global Imbalance)*은 미국의 4조 2,000억 달러에 달하는 누적 경상적자, 중국과 석유수출국의 무역흑자, 미국 채무의 급속한 증가를 고려할 때 깨어질 수밖에 없다"며 "언제 조정이 시작되는지, 혼돈 속에 시작될 조정시기에 주목하라"고 조언하기도 했다.

유로화는 헤게모니를 쥘 수 있을까?

중국의 달러화에 대한 협박은 거세다.

유 용딩 전 중국 인민은행 통화정책 위원(세계경제정책 연구소 소장)은 "중국은 미 달러화의 붕괴를 우려하고 있다"며 "중국은 더 이상 달러로 외환보유고를 쌓지 않을 방침"이라는 의견을 밝혔다.

중국이 외환보유고를 쌓지 않을 경우, 달러화에 대한 수요가 줄어 달러 약세가 가중될 수 있다. 중국의 외환보유고는 지난 2006년

세계경제의 불균형(Global Imbalance)

미국의 막대한 경상 수지 적자와 중국 등 아시아 국가, 산유국들의 경상 수지 흑자로 뚜렷이 대비되는 국가 간 · 지역 간 세계경제의 불균형 현상을 말한다. 선진 7개국(G7) 재무 장관 · 중앙은행 총재 회담과 국제통화기금(IMF)은 세계경제의 최대 위협 요인으로 '글로벌 임밸런스'를 지목하기도 했다.
세계경제 불균형 현상은 갈수록 심화될 것으로 보이며 이에 따라 미국 경제와 달러에 대한 국제 사회의 신뢰는 떨어질 전망이다. 이는 달러화 중심의 외환 보유고 구성을 다변화할 필요가 있음을 시사한다.

10월, 1조 달러를 넘어섰으며 2008년 1조 5,000억 달러로 증가해 2010년에는 2조 달러에 달할 것이다.

하지만 달러가 쉽게 파워를 잃지는 않을 전망이다. 세계적인 환율대가인 케네스 로고프 하버드대 교수는 "달러 약세는 예상되지만 달러가 힘을 잃지는 않을 것이다"라고 단정했다. 그는 "실제로 알쏭달쏭한 것은 엔화의 추락이다"라고 말하기도 했다.

지난 2006년 10월, 로고프 교수는 〈매일경제〉의 세계지식포럼에서 "미국이 천문학적인 경상적자 줄이기에 본격적으로 나선다면 앞으로 2년 동안 달러화 가치는 20% 이상 떨어질 수 있다"는 전망을 내놓았다.

달러화가 힘을 잃게 되면 어떤 통화가 힘을 얻게 될까?

칠레 캐토릭 대학 펠리페 교수는 "금융시장의 자유화와 달러의 세계적인 활용성 때문에 우리 생애에 달러화를 대체할 외환보유 통화는 나타나기 힘들다"며 "그러나 위안화가 아닌 유로화는 달러를 대신할 후보가 될 수 있다"고 전망한다. 유로화가 12개국, 현재 27개 공동시장에서 사용되고 있기 때문이다.

중국 경제를 낙관할 것인가?

'세계의 공장'으로 부상한 중국. 중국은 끝없는 성장을 구가할 것인가?

〈월스트리트저널〉의 전망대로 중국 경제는 4년 연속 두 자릿수

“

중국 경제성장률이
3%대로 뚝 떨어지는 경착륙을 겪을
가능성이 50%에 달한다.

”

케네스 로고프, 하버드대 교수

의 성장을 이어가다 2008년 독일을 제치고 세계 3위의 경제대국으로 부상할 것인가?

환율대가인 케네스 로고프 하버드대 교수는 글로벌 경제가 장기적인 호황을 맞고 있긴 하지만 두 가지 글로벌 위험 요인을 경계해야 한다고 말했다.

먼저 당연한 듯이 받아들여지고 있는 중국 경제 낙관론을 경계하고 중국 경제가 경착륙(Hard Landing)할 가능성을 경고했다. 로고프 교수는 “장기적으로 중국이 세계 1위 경제대국이 될 가능성이 높다”면서도 “빈부격차, 취약한 금융시스템 등으로 향후 5년 동안 중국 경제성장률이 3%대로 뚝 떨어지는 경착륙을 겪을 가능성이 50%에 달한다”고 지적했다.

따라서 중국 경제가 과거처럼 앞으로도 매년 두 자릿수 이상 고도성장을 구가할 것이라는 막연한 기대감을 접고, 급격한 조정에 빠질 가능성에 대비해야 한다고 조언했다.

둘째는 북한의 위협이다. 로고프 교수는 "북핵의 폐기가 6자회담을 통해 결정됐지만 언제든지 재점화할 가능성이 존재한다" 며 북핵 위기가 잘못돼 전 세계적인 무역 침체로 이어질 수 있음을 경고했다. 로고프 교수는 "위험한 세상에 살고 있으면서도 시장에 리스크 프리미엄이 적용되지 않고 있다" 고 말하기도 했다.

신조어로 본 힘의 이동

'정보전염병, 독신경제, 복합도전….'

2007 다보스포럼이 전 세계 경영인에게 던진 화두다.

정보전염병을 뜻하는 '인포데믹스(Infodemics)' 는 '정보(Information)' 와 '유행병(Epidemic)' 을 합성한 말로 정보 확산으로 발생하는 각종 부작용을 일컫는다. 즉, 리스크에 관한 정보나 잘못된 행동과 위기에 관한 소문들이 인터넷과 휴대폰 등을 통해 매우 빠르게 확산되면서 근거 없는 공포를 증폭시켜 오히려 비즈니스와 경제 · 정치 안보에 치명적인 위기를 초래하는 것을 일컫는다. 사스와 조류독감이 대표적인 사례다.

아울러 독신가구가 크게 늘면서 독신경제를 뜻하는 '싱글족 경제(The Singles Economy)*' 도 주목할 대상이다.

다보스포럼 측은 "오늘날 전 세계 부유한 도시를 지배하고 형성하는 사람들은 교육수준이 높고 전문성을 지닌 20~30대 독신자" 라며 "특히 상당수 시장에서 젊은 독신 여성이 차지하는 비중은 점

- **정보전염병(Infodemics)**
  정보 확산으로 정치 · 경제 · 산업에 초래되는 부작용
- **싱글족 경제(The Singles Economy)**
  20 · 30대 독신자 그룹 팽창과 사회의 '여성화'
- **복합도전(Complex Challenges)**
  위기 진원지 파악 · 해결 어려운 미래형 위기
- **트라이벌리즘(Tribalism)**
  지역 정체성 · 동질성 그룹의 영향력 강화

점 커지고 있다"고 전했다. 독신층의 경제력이 향상되고 주요 소비층으로 등장함에 따라 기업들은 이들을 겨냥해 새로운 비즈니스 전략을 수립할 필요가 있다.

세계화에 대한 반작용으로 '트라이벌리즘(Tribalism)*'이 강화되는 점 역시 새로운 추세로 떠오르고 있다. 리더들은 아이덴티티에 기초한 동질성 그룹의 영향력 증대를 제대로 인식함으로써 신규 시장 진입 전략과 대응법을 모색해야 한다. 특히 '동질성 그룹'이 신흥시장과 지역적 안정성에 어떤 실질적인 영향력을 행사하는지 잘 파악할 필요가 있다고 다보스포럼은 권고하고 있다.

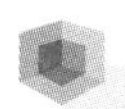

싱글족 경제(The Singles Economy)

결혼을 하지 않은 20~30대 독신 경제를 뜻한다. 이들은 구매력이 왕성해 새로운 소비층으로 급부상하고 있다. 이에 따라 독신 여성들의 소비를 겨냥한 새로운 비즈니스 모델들이 등장하고 있다. 이들 독신 여성은 교육수준이 높아 전문직에 종사하는 비율이 높으며 독신이기 때문에 가처분 소득이 높다.

앞으로 다가올 위기 형태는 '복합 도전(Complex Challenges)' 이 될 것이라는 경고도 나왔다. 위기 진원지를 파악하기 힘든 데다 해결책을 찾기 어렵다는 뜻이다.

트라이벌리즘(Tribalism)

이해관계가 같은 집단, 즉 부족(Tribe)을 중심으로 세력을 형성해 파워를 과시하는 현상을 나타낸다. 원래 부족이란 같은 종족의 의미지만 현대사회에서는 새로운 의미의 부족, 즉 동질성 집단이란 뜻으로 발전하고 있다.
동질성을 가진 집단, 이해관계가 같은 동창생, 특정 지역 출신 등이 하나의 커뮤니티를 구성해 새로운 힘의 주역으로 부상하고 있다는 점에서 '부족주의(Tribalism)' 가 사용되고 있다.
다보스포럼은 국가라는 큰 틀 속에서 여러 부족, 즉 이해집단이 복잡한 힘의 관계를 구성해 새로운 힘의 중심으로 등장하고 있다고 분석하고 있다.

중국과 인도는 '글로벌 경제 패권' 을 쥘 수 있을까?

중국과 인도는 세계경제의 새로운 성장 엔진임에 틀림없다.

그렇다면 현재의 미국과 같은 '지구촌 경제패권' 을 쥘 수 있을까? 쥔다면 언제쯤이 될까?

현재 추세라면 중국은 2008년 독일을 제치고 세계 3위 경제대국으로, 인도는 10년 후인 2017년 식민종주국 영국을 꺾고 세계 5위 경제국으로 부상할 것이다.

〈월스트리트저널〉은 "4년 연속 두 자리 성장을 이어갈 경우 빠르면 2008년 중국의 국내총생산(GDP)은 3조 달러를 웃돌아 세계 3위 경제국인 독일을 능가할 것" 이라고 전망했다.

2005년 중국의 GDP가 2조 달러를 넘어서면서 중국은 영국을 추월해 세계 4위 경제국으로 올라섰다. 영국으로선 자존심 상하는 일이었다. 이미 골드만삭스는 2040년이면 중국이 미국을 제치고 세계 최대 경제국으로 부상할 것이라고 전망하기도 했다.

친디아(Chindia, 중국+인도) 열풍의 또 다른 주역인 인도의 부상도 눈부시다. 골드만삭스에 따르면 인도는 10년 안에 이탈리아와 프랑스, 영국을 누르고 세계 5위 경제국이 될 전망이다. 12년 후 독일을, 18년 후엔 일본을 차례로 추월할 것이라고 예상했다.

그리고 2042년이면 미국을 제치고 중국에 이어 세계 2위 경제대국에 오를 것으로 보인다. 단, 인도의 열악한 기반시설은 경제성장을 제한하는 고질적인 병폐로 지적되고 있다. 또 전문인력 부족은 인도가 자랑하는 정보기술(IT) 발전을 저해할 수도 있다는 평가다.

중국과 인도의 경제 성장률

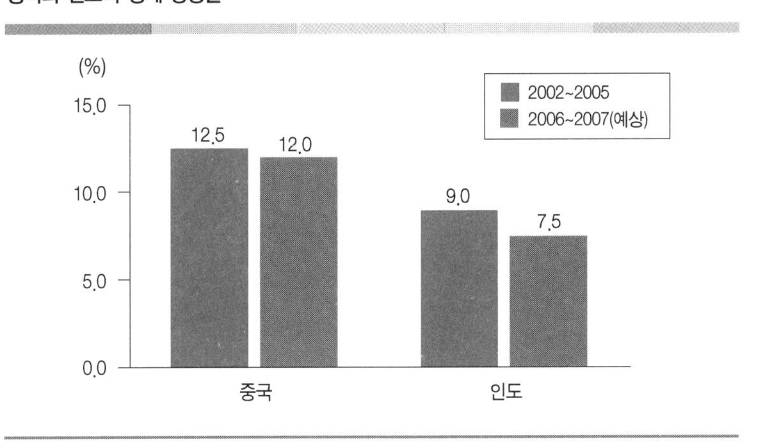

Source : WTO, 2006

인도의 도전과 브릭스의 부상

몇 년 새 가장 주목받고 있는 나라들은 바로 브릭스(BRICs)다.

2006년 신흥시장이 사상 최초로 구매력(ppp) 지수를 기준으로 선진국의 생산량을 앞질렀다. 브릭스는 신흥시장으로 통하는 브라질과 러시아, 인도, 중국 등 4개국을 일컫는 용어다. 이들 브릭스는 2025년까지 세계 생산량의 40% 이상을 차지할 것으로 전망되고 있다. 이 가운데 중국의 바통을 이어받은 인도의 도약이 눈부시다. 〈월스트리트저널〉은 인도 경제는 10년 내 세계 5위, 2050년 미국을 추월해 세계 2위의 경제대국이 될 것이라고 예단했다.

지구촌의 경제적 파워는 급속도로 미국, 일본, 독일 등 주요 선진국에서 이들 브릭스 국가로 이동하고 있다.

1980년대 세계를 이끌었던 시장의 힘은 일본의 제조업이었다. 이후 1990년대 들어 정보기술(Information Technology)이 일본의 힘을 이어받았다. 일본 제조업과 정보통신 기술, 즉 두 개의 힘은 투자과잉으로 고통스런 조정기를 거치고 있고 이런 가운데 브릭스가 부상하고 있다. 신흥시장의 부상에 위기를 느낀 선진국들은 자국의 시장을 지키기 위해 보호주의(Protectionism)의 색채를 드러내고 있다.

인도의 뉴델리TV 사장은 "지난 4년 동안 주요 신흥국가의 주식시장은 러시아가 700% 이상 상승한 것을 비롯해 평균 366% 오른 반면, 10년 전 평균 30%에 달하던 인플레이션이 5%대로 떨어졌다"고 말한다.

신흥경제국가의 외환준비금은 2000년 이후 3배로 늘어 3조 달러(전 세계 64%)에 달한다. 현재의 성장률이 지속된다면 2050년에 중국의 국내총생산은 미국 생산량의 90%에, 인도의 생산량은 60%에 맞먹게 된다. 하지만 개도국에서의 주식 시가총액은 GDP의 20%에 불과하다. 선진국의 70%와 비교할 때 충분히 가격상승의 요인이 있다.

게르만 그레프 러시아 경제개발 통상부 장관은 "신흥국가의 경제적 성공은 선진국에서의 정치적 반발을 자극하고 있다"며 "신흥국가의 저임금 경쟁과 개도국의 선진국 기업 인수시도가 선진국과 개도국 간 역할반전으로 이끌고 있다"고 평가한다. 그는 "이로 인해 개방과 자유화의 장점을 신흥국가에 홍보하던 선진국이 무역장벽 해소와 투자허용에 있어 속도 조절에 나서고 있다"고 진단한다.

골드만 삭스가 본 인도와 중국, 미국의 경제규모 전망

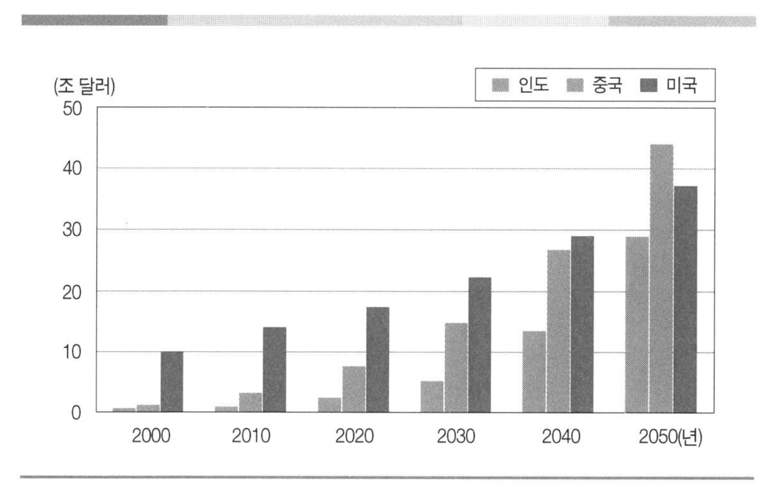

실제 전 세계적인 무역 장벽을 해소하기 위해 2001년 시작된 도하라운드는 주요 국가들이 농업 보조금 폐지 등에 이견을 보이면서 2006년 7월 중단됐다. 2007년 1월 30개국 통상대표들이 다보스포럼에서 도하라운드 재개에 협의해 다시 논의를 진행했다.

일본의 경제회복 어디까지 갈까?

고이즈미 내각의 성공적인 경제회복은 아베 신조 정부에서 미래 경제 팽창으로 이끌 수 있을까?

다보스포럼은 중국이 미국을 능가하는 일본의 주요 수출시장으로 변화한 상태에서 일본의 무기력한 소비시장을 고려할 때, 일본의 경제성장은 불확실하다고 진단했다.

다카토시 이토 일본 경제재정정책 이사회 위원이자 도쿄대 교수는 "일본경제는 지난 3년간 경제성장률 2%로 제2차 세계대전 이후 가장 긴 회복기를 맞고 있다"며 "준이치로 고이즈미 전 수상이 아베 정권을 위한 개혁의 기초 작업을 끝낸 상태"라고 말했다. 그는 특히 현재의 일본 개혁은 노동시장과 은행, 교육 분야 개혁이 결합돼야 완성되기 때문에 아직 멀었다는 입장이다.

일본의 변화와 개혁의 소리를 질타하는 목소리도 높다. 찰스 레이크 아플락 부회장은 "개혁은 낙관적으로 전망되지만 일본의 개혁엔 절박감이 없다"며 "일본은 정부와 사회의 변화 속도가 느려 세계화와 보조를 맞추지 못하고 있다"고 지적하기도 했다.

일본의 경제성장 추이

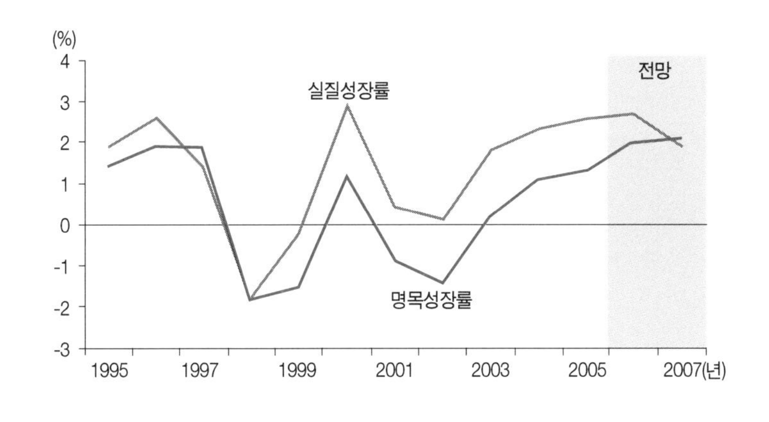

Sourc : IMF

일본의 경제패권 회복을 어렵게 보는 요소 중 하나는 인구구조다. 빠른 속도로 고령화하는 인구구조를 볼 때 정부는 효율성을 경제 전체에 확산시켜야 한다.

힘 잃는 선진국을 엄습하는 불안

정부와 기업들이 기술변화와 지정학적 불안을 걱정하는 사이, 경제 분야에서의 세계화는 선진국 국민들에게 불안감을 가져다주고 있다. 불안감 증상은 개도국보다는 선진국에서 더 뚜렷하게 나타난다. 우려의 대상은 정체에 빠진 임금, 직업 안정의 붕괴, 증가하는 소득불균형에 대한 것들이 지배적이다.

지구촌에서 경제적 파워의 이동은 세 분야에서 뚜렷하게 나타나고 있다. 그 세 가지는 바로 세계의 산업센터로 인도와 중국의 새로운 부상, 산업노동자에서 부유층, 화이트컬러로 확산되는 보호주의 징후, 상장기업의 비상장기업으로의 탈바꿈 현상이다. 〈타임〉의 편집위원인 에릭 푸리는 "신흥시장의 경제적인 부상은 문화 르네상스나 산업혁명에 비교할 수 있다"고 말한다.

그만큼 신흥시장의 부상은 세계경제에 막강한 영향력을 행사하고 있다.

로우비니 글로벌 이코노믹스 회장인 누리엘 로우비니는 "인도와 중국이 세계시장에 합류함으로써 22억 명의 노동자들이 세계 노동시장에 진입하게 됐다"며 "이들의 진입은 선진국의 비숙련 노동자들의 임금을 떨어뜨리는 압력요소가 되고 있다"고 말했다.

신흥경제국에서 탄생한 신흥 대기업들의 경상흑자로 발생하는 막대한 자금은 전 세계의 실질 이자율을 하락시키고 있다.

로우비니 회장은 "급속한 제조업의 성장은 원유 값을 오르게 함으로써 세계경제를 주름지게 하고 있다"며 "신흥기업의 대두는 좋은 요소와 나쁜 요소가 뒤섞여 있다"고 말했다. 나아가 그는 "불투명해지고 규제로부터 벗어나는 금융시장의 최근 현상은 미래 금융위기를 부추길 수 있다"고 경고하기도 했다.

급속한 경제성장은 아직 힘의 이동을 완성시키지는 못하고 있다.

중국은행 부행장인 민추는 "전 세계 자본의 할당은 뉴욕과 런던과 같은 선진국 금융센터가 좌지우지하고 있다"며 "제조업의 지배는 경제력의 한 형태가 아니다"고 주장했다. 금융, 즉 돈줄을 쥐고 있는 선진국이 여전히 파워센터로서 큰 역할을 할 수 있다는 의미다.

신흥경제가 힘을 얻게 됨에 따라 선진국의 보호주의 정서도 고개를 들고 있다. 로버트 실러 예일대 교수는 "세계화의 승자로부터 패배자로 소득을 분배하기 위해 누진과세(Progressive Taxation)를 하는 것은 올바른 방향이다"라고 강조했다.

글로벌 리더들은 상장기업을 비상장기업으로 전환하는 최근의 현상은 그다지 중요하게 생각하지 않고 있다. 많은 기업들이 거래소 시장으로 돌아오기 때문이다. 그렇지만 왜 지구촌의 많은 상장기업들이 최근에 비상장기업으로 전환하고 있는 걸까?

신흥국가들의 등장으로 인한 세계 원자재 가격과 수요 증가 추이

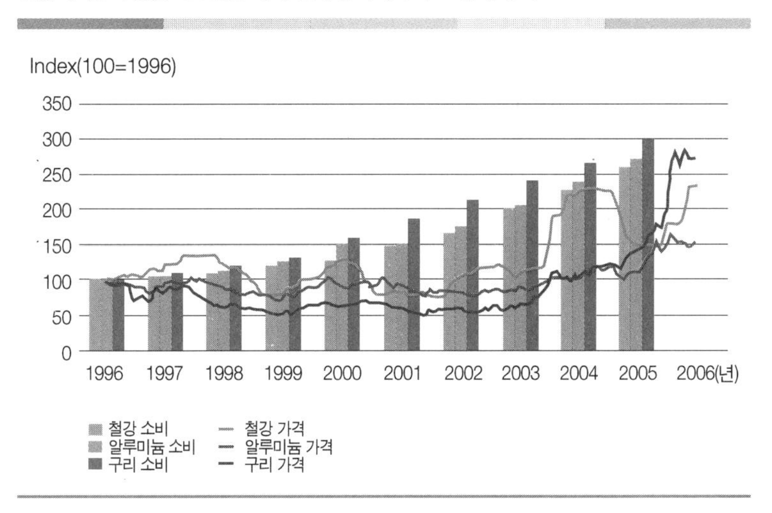

Source: 국제철강연구소, 세계금속통계사무국

첫 번째 요인을 사모펀드의 빠른 성장에서 찾을 수 있다. 사모펀드는 일반 기업의 매수와 상장 폐지의 거래에 참여해 기업을 사냥하고 있다. 사모펀드는 단기 차익을 노리는 데 반해 상장기업은 법률이 정한 규정에 따라 상장비용을 감당해야 하며 다수 주주의 감시를 받게 된다. 이는 기업전략에 방해요소가 될 수 있다. 또한 비상장기업으로의 전환은 경영권 확보에 대한 우려로부터 주주를 해방시킬 수 있는 장점이 있다.

2

거세지는 펀드 자본의 파워

연기금과 뮤추얼펀드, 사모펀드, 헤지펀드 같은 펀드 자본이 막강한 파워의 주역으로 부상하며 '펀드 자본주의' 시대가 열렸다. 막강한 자금 동원 능력을 앞세워 기업 사냥에 나서고 가치를 키워 매각함으로써 돈을 벌어들이고 있는 것이다.
펀드 자본주의 대세론에 대한 찬반양론도 뜨겁다. 도대체 왜 펀드 자본의 파워를 우려하는 것일까?

시장을 흔드는 펀드 자본주의

펀드 자본의 파워가 거세지면서 이들 자본의 파괴력에 대한 우려가 높아지고 있다. 개인 자금이 모여 조성된 사모(私募) 자금이 막강한 파워를 행사하고 있기 때문이다. 따라서 이들 펀드 자본이 공모(公募) 자금에 대항해 세계 금융시장에 내재하고 있는 불안요소로 발전하고 있다.

펀드 자본을 대표하는 파워 자금은 헤지펀드(Hedge Fund)와 사모펀드(PEF, Private Equity Fund)*, 국경을 넘나드는 거대 자본들이다. 이들 자본은 국제 금융시스템의 법률적 빈틈을 활용해 영향력

세계 M&A에서 사모펀드가 차지하는 비중

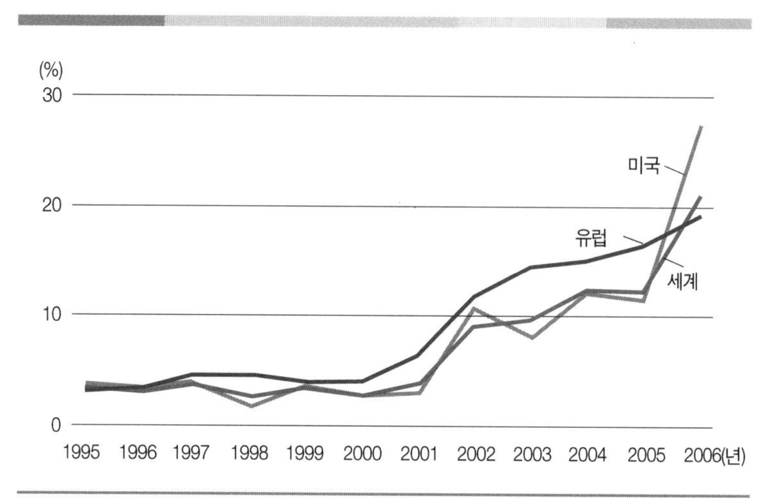

Source : 톰슨파이낸셜, 베인

을 확대하고 있으며, 이로 인해 현 규제시스템의 적합성이 논란거리로 대두되고 있다.

사모주식은 증권거래소나 코스닥에서 판매하는 공모주식과 대립되는 개념이다. 연기금이나 개인 등 소수 투자자로부터 비공개로 자금을 모아 투자하는 사모펀드가 대표적인 사모 주식시장 참여자다. 다보스포럼은 규제를 피해 움직이는 사모자본의 권력이 지나치게 커지고 있다고 우려하고 있다.

외환은행 헐값매각 논란의 주인공이었던 론스타는 전형적인 사모투자 전문회사다. 미국 기업의 인수 · 합병(M&A) 규모는 모두 1조 2,000억 달러 정도로 이 가운데 27% 규모인 3,560억 달러가 사모펀드 자금이다.

사모 자본의 영향력이 커지면서 이들 자본을 바라보는 시선이 곱지만은 않다. 자본시장의 활력을 더해주고 있다는 긍정론이 있는가 하면 지나친 과열로 거품 위기를 몰고 올 수 있다는 위기론도 나오고 있다.

일반적으로 사모펀드는 까다로운 규정을 적용받는 공모펀드와 달리 비교적 자유롭게 자금을 운영할 수 있는 사적인 투자자금을 의미한다. 대개 기업인수를 담보로 돈을 빌려 현재의 주가 시세보다 높은 가격으로 점찍은 기업의 주식을 매수한다. 한마디로 M&A 시장에 매물로 나온 기업의 인수·합병을 목적으로 운영된다. 인수한 기업의 경영이 나아질 경우, 높은 가격으로 되팔거나 주식시장에 재상장해 이익을 챙길 수 있지만 경영개선에 성공하지 못하면 투자자들이 큰 손해를 입을 수 있다.

지나친 적대적 기업매수 활동을 제한하는 규정을 두고 있다는 점에서 완전 투기자금을 뜻하는 헤지펀드와는 구분된다. 펀드 자본주의는 자본시장 확충에 도움을 주고 기업투명성을 높이는 순기능도 있지만 지나친 경영간섭과 적대적 M&A 시도로 경영의 안정성을 흔드는 역기능을 동시에 수반하고 있다. 펀드가 하나의 권력기관처럼 군림할 수 있어 펀드 자체의 투명성을 높이는 일이 커다란 과제다.

사모펀드나 헤지펀드와 같은 투기 자본이 금융시장을 위기로 몰아넣을 수 있다는 주장이 눈길을 끈다.

케네쓰 그리핀 시타델 인베스트먼트 그룹 CEO는 "현재의 헤지펀드는 2~3명이 블룸버그 단말기를 이용해 자금을 운용하는 전통적 헤지펀드가 아니라 골드만삭스 같은 월스트리트 블루칩들이 운용하는 초대형 헤지펀드다"라고 말한다. 대형 투자은행들이 헤지펀드의 운영주체로 세계금융시장을 활보하고 있다는 것이다.

사모펀드(Private Equity Fund)

공개적으로 모집한 자금이 아닌 사적 관계로 모집한 자금으로 조성된 투자펀드다. 공개모집, 즉 공모(公募)펀드와는 달리 비공개로 투자자를 모집하기 때문에 사모(私募)라고 한다.
대체로 자산가치가 저평가된 기업에 자본을 투입해 기업 가치를 높인 다음 기업주식을 되파는 전략을 취한다. 사모이기 때문에 비교적 제한이 적은 편이다.

파생금융상품은 약인가, 독인가?

파생시장의 파워가 널리 확산되고 있다. 파생금융상품의 확산은 우려의 대상인가, 아닌가?

다보스포럼의 글로벌 리더들은 파생금융상품이 리스크를 분산시키고 금융시장과 전체 경제의 경쟁력을 강화시키고 있다는 낙관론을 펴고 있다.

로저 퍼거슨 미국 스위스리 회장은 "파생상품 시장에 위기조짐은 없다"며 "파생상품은 시장과 신용위험을 분산시키는 긍정적인 역할을 하고 있다"고 강조했다.

비또리오 꼬르보 칠레 중앙은행 총재는 "파생상품은 가격평가와 위험 전가를 용이하게 하고 있다"며 "미래를 밝게 본다"고 말했다.

2000년 초 미국 나스닥시장 버블 붕괴를 예측했던 로버트 쉴러 예일대 교수는 "파생상품은 리스크 관리를 위한 인류의 구세주"라며 "새로운 첨단 금융기법은 세계경제 성장을 끌어야 할 책임이 있다"고 강조했다. 실러는 "금융기법이 발달함에 따라 투자자들의 투자 결정을 도울 위험관리 모델도 발달했어야 한다"며 "20년 동안 우리는 VaR(Value at Risk, 위험 대비 자산가치) 모델을 사용하고 있지만 지금 우리는 EaR(Earnings at Risk, 수익 손실 리스크) 모델, 현금흐름 리스크 모델(Cash flow at Risk model)을 갖게 됐다"고 말했다.

리스크 회피를 위해서는 파생상품의 설계와 구조에 대해 정확히 이해하는 게 중요하다.

앤드류 크로켓 JP모건 사장은 "경제 안정의 잠재적인 두 위협요

1990년에 비해 30배 이상 증가한 헤지펀드

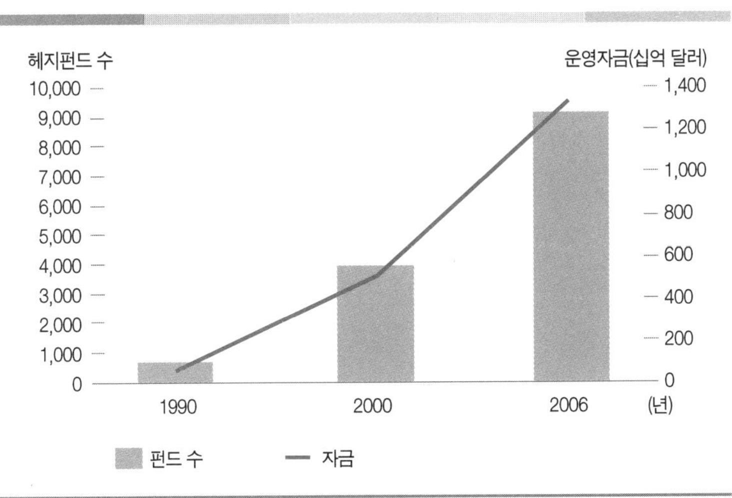

Source : 헤지펀드리서치, WEF

소는 지정학적인 충돌과 이해하기 힘든 새 파생상품이다"라며 "모든 사람은 새로운 파생상품의 개발이 시장을 좀 더 완벽하게 한다는 것을 알아야 하며 규제 당국은 이를 주시해야 한다"고 강조했다.

1998년 헤지펀드였던 LTCM(Long-Term Capital Management)의 몰락*이 파생상품의 위기를 보여줬다는 게 스탠리 피셔 이스라엘 중앙은행 총재의 입장이다.

LTCM(Long-Term Capital Management)의 몰락

LTCM은 헤지펀드의 부정적인 측면을 말할 때 대표적인 사례로 언급되는 헤지펀드의 이름이다. 롱텀캐피털매니지먼트(Long--Term Capital Management)의 머리글자를 따서 LTCM이라고 하며 1994년 설립돼 4년만인 1998년에 1,000억 달러를 날리며 침몰했다.

설립 당시 LTCM은 투자의 귀재 존 메리웨더가 1997년 노벨경제학상 수상자인 마이런 숄즈 MIT교수, 로버트 머튼 하버드대 교수를 끌어들여 주목을 받았다.

LTCM은 돈을 빌려 투자하는 '레버리지' 방법이었다. LTCM은 자기 돈의 50배가 넘는 1,250억 달러를 투기적으로 투자했다. 하지만 1998년 러시아가 모라토리엄(국가부도, 채무지불유예)을 선언하면서 러시아 채권이 휴지조각이 되고 만다. LTCM의 파산은 돈을 빌려 준 은행과 세계금융의 위기를 몰고 왔고, 미국 연방은행(FRB)은 36억 5,000만 달러에 달하는 구제금융으로 금융공황을 막았다.

이처럼 헤지펀드의 가장 큰 위협은 '수익을 내지 못하는 것'이다. 성격상 투기적 성격이 강하기 때문에 위험성이 매우 높아 파산 시 돈을 빌려준 채권자들에게 심각한 타격을 입힌다.

누가 자본시장의 사법관할권을 쥐나?

자본시장이 국제화함에 따라 국제 송사에 있어 사법관할권이 중요한 이슈로 등장하고 있다. 아직까지 모든 금융기업들의 활동을 지배하는 단일 규정은 존재하지 않는다. 이로 인해 세계시장과 로컬시장 간 규정 차이 때문에 여러 이슈들이 발생하고 있다.

따라서 '금융시스템의 효율성을 높이려면 규제체제를 어떻게 개선해야 할까?', '새로운 금융센터의 출현에 맞서 규제를 어느 정도 강화해야 할까?', '범국가적 환율의 통합이 기업의 자금조달에 어떤 영향을 주는가?' 등의 이슈들이 대두되고 있다.

2003년 노벨경제학상 수상자인 로버트 엥글 뉴욕대 교수는 "유럽과 미국은 최근 많은 규제를 만들어내고 있고, 이는 기업과 금융시장의 경쟁력을 침해하고 있다"고 지적했다. 이는 새로 생겨난 수많은 규제가 그동안 국제 금융센터로 뉴욕이 누려왔던 선도적인 역할을 저해하고 있다는 불안감을 나타낸 것이다.

리만 브라더스의 부회장인 토마스 루소는 "영국과 런던 금융시장의 파워가 거세지면서 미국과 뉴욕은 금융센터로서의 지위를 잃어가고 있다"며 "룰에 기초한 접근법보다는 원칙에 기초한 규제가 더 자유로운 유연성을 제공해 줄 것이다"라고 말했다.

국제적인 규제체제가 시장 변화를 따라가지 못하고 있다는 지적도 제기되고 있다.

런던 경제스쿨의 디렉터인 하워드 다비에스는 "리스크 회피가 한 금융기관에서 다른 금융기관, 특히 은행에서 보험사로 전가될 수 있지만 규제적 접근법은 별개로 진행되고 있다"고 말했다. 그는 "국제 규제의 틀이 지나가 버린 과거의 사례를 겨냥하는 경우가 있다"며 이는 변해야 한다고 강조했다.

M&A 주도세력으로 부상한 신흥기업들

2006년은 기업 인수합병에서 이례적인 성장세를 나타낸 해다. 가격을 기준으로 지난 2005년보다 무려 38%나 시장이 증가했다.

2007년은 2006년처럼 거대한 M&A 딜이 되풀이 되지는 않겠지만, M&A 열기가 이어질 것이라는 의견이 지배적이다. 사모펀드는 여전히 M&A 시장에서 주도적인 역할을 할 것으로 보인다.

지난 10년간 사모펀드로 조달된 글로벌 M&A 자금의 비중은 3%에서 20%로 급증했다. 이 틈을 타서 사모펀드는 많은 부를 축적했다. 이 같은 추세는 당분간 지속될 것이다. 또한 국경을 초월한 M&A 활동도 점차 증가할 전망이다. 특히 신흥시장의 떠오르는 기업들의 M&A 참가가 더욱 늘어날 것이다.

그렇다면 향후 5년 내 어느 지역에서 가장 활발한 M&A 활동이 벌어질까? 미국일까, 유럽일까? 아니면 중동, 아프리카, 아태지역 중 하나가 될까? 활기를 띠게 될 산업군은 무엇일까?

미국은 미디어와 엔터테인먼트에서 최고의 경쟁력을 보이고 있다. 웹2.0 기술은 이러한 분야에 새로운 변화를 가져와 가장 활기 있는 M&A 시장을 만들어 줄 것으로 보인다.

다음으로 활기가 예상되는 M&A 시장은 헬스케어시장이다. 2006년 가격을 기준으로 M&A 활동 5위에 올랐지만 헬스케어는 거대한 자본을 앞세워 거대 합병을 일으킬 가능성이 높다. 뜨거운 M&A 시장의 표적이 될 수 있다는 의미다. 이 분야에서 가장 큰 리스크는 정부의 개입과 규제가 나타날 수 있다는 점이다.

다음으로 EMEA(유럽 · 중동 · 아프리카)지역에서는 금융 서비스, 에너지와 전력기업에 대한 M&A가 탄력을 받을 전망이다.

금융서비스 섹터의 경우 유럽 전역에서 금융기관들의 합병, 특히 독일 은행 간 대규모 합병이 예상된다. 그렇지만 규제 장벽이 높아 극적인 M&A를 탄생시킬 수 있을지는 미지수다. 특히 러시아와 중동지역은 에너지와 전력 산업의 M&A 활동이 활발할 것으로 보인다.

아 · 태지역의 경우 자동차와 운송 회사, SOC업체, 대기업, 방위산업, 건설업체 등의 분야에서 M&A가 예상된다. 인터넷과 관련이 없는 전통 산업군과 금융 서비스 분야도 M&A의 타깃으로 부상할 전망이다.

3

중산층의 불안: 소득 불균형

세계화의 승자는 누가 될까? 세계화는 누구를 위한 것이며 세계화에서 도태된 세력의 저항은 어디까지 이어질 것인가?
세계화는 일자리를 창출하고 많은 사람들을 빈곤에서 구제했다. 그러나 많은 중산층이 일자리 상실과 양극화를 두려워하고 있다.
지구촌 사회는 빈부격차와 소득 양극화 문제를 어떻게 극복해 나갈 것인가?

30억 명이 세계화에 불안해하고 있다

세계화의 상징인 다보스포럼에 대항해 2001년부터 반세계화포럼이 매년 비슷한 시기에 열리고 있다. 일명 '세계사회포럼(WSF)*' 이라는 것이다. 세계 각지의 반세계화 운동가들이 모여 빈곤 · 환경 · 인권 · 세계평화 등의 분야에서 대안사회를 모색한다. 그들은 세계화가 개발도상국의 빈곤을 심화하고 있다고 비판하고 있다. 세계화가 사회적 불평등, 전 지구적 재정 위기, 군사화를 심화시켜 삶을 위협하고 있다는 것이다.

세계 반부채 운동단체들은 아프리카 대륙의 절반이 넘는 인구가 하루 1달러 미만으로 살아가지만, 이 지역이 부채상환으로 쓰는 돈은 해마다 150억 달러에 달한다고 주장한다. 이들 입장에서는 먹고 살기도 힘든데 150억 달러는 말도 안 된다는 입장이다. 부채상환에 사용하는 돈을 보건과 교육에 쓴다면 아프리카의 상황이 크게 개선될 것이라는 게 주장의 요지다.

그들의 주장이 옳은 것일까? 다보스포럼은 이들 반세계화 운동가들의 포럼장 진입을 막기 위해 5,000여 명에 달하는 병력을 동원해 자신들의 '포럼 축제'를 보호한다. 중국은 세계화의 도움으로 한 세대만에 100배 이상 삶의 질을 향상시켰다고 자평한다. 하지만 이 같은 평가의 이면엔 중산층의 불안이 숨겨져 있다.

사란 버로우 호주 노동조합평의회 대표는 "상위층의 수익은 오르고 있지만 중산층(Middle Class)*의 임금은 정체상태에 있어 소득불균형과 불안이 계속 커지고 있다"고 진단했다. 그녀는 "만일 다국적기업들이 이러한 불안을 계속 무시한 채 CEO에게 거액의 임금을 낭비하고 정당한 몫을 주장하는 노조와 협상을 거부한다면 사회는

세계사회포럼(WSF, World Social Forum)

매년 스위스의 다보스에서 개최되는 세계경제포럼에 맞서 같은 기간 동안 열리는 전세계 사회운동가들의 포럼이다. 세계화를 표방하는 세계경제포럼에 맞서 반세계화를 기치로 내걸고 있다.
2001년 1월, 처음으로 브라질 리우그란데두술주(州)의 포르투알레그레에서 개최됐으며 세계화가 가장 부진한 지역에서 상징적으로 열리고 있다.
세계화에 반대하는 정치인 · 시민운동가 · 노동운동가 · 학자 등이 참가해 개발도상국의 부채 탕감, 아동학대 금지, 여성운동 활성화, 인종주의 청산, 유전자변형식품 금지, 민주주의 개혁, 농산물 수출 보조금제 폐지, 국제 투기자본 규제 등을 논의한다.

각국 소득계층별 가계소득

국가(년)	상위 10% 비중	하위 10% 비중
한국(2005)	25%	2.9%
중국(2001)	33.1%	1.8%
브라질(2002)	31.27%	0.7%
인도(1997)	33.5%	3.5%
멕시코(2002)	35.6%	1.6%
터키(2000)	30.7%	2.3%
베트남(1998)	29.9%	3.6%
러시아(1998)	38.7%	1.7%

Source : CIA World Factbook

세계사회포럼과 세계경제포럼

세계사회포럼(매년 초 개최)

2001년 포르투 알레그레 창설(브라질)

주요 의제

- 에이즈 퇴치
- 대외부채
- 정당한 무역

주요 참석자

- 왕가리 마타이 (케냐 2004 노벨평화상 수상자)
- 아미나타 트라오레(말리 전 문화부장관)

세계경제포럼(매년 초 개최)

1971년 클라우스 슈밥 창립(스위스)

주요 의제

- 세계 경제
- 이라크, 중동
- 기후변화

주요 참석자

- 24개국 정부 수반
- 비즈니스 리더 1,000여 명

분열되고 이들 세력이 폭력을 동원하게 될 것이다"라고 경고했다.

힘의 중심이 최고경영자와 임원 중심에서 중산층 근로자들로 옮겨가고 있음을 시사한다. 세계화의 혜택에서 밀려날 대로 밀려난 중산층이 폭도로 변하면 지구촌은 아무런 대책도 없는 실정이다.

로렌스 서머스 전 하버드대 총장은 "중산층은 임금 정체와 감소, 치열한 경쟁으로 신경과민 상태에 있다. 일자리를 잃게 되면 다시 같은 지위를 얻게 될 것이라는 아무런 보장도 없어 불안해하고 있다"며 중산층의 현주소를 다음과 같이 진단한다.

전통적인 기회 균등에 대한 믿음이 사라지고 있고, 중산층은 점차 국가 시스템에서 벗어나고 있다. 교육의 힘으로 지위를 바꾸는 사회이동(Social Mobility)도 생각할 수 있지만 그만큼 기회는 줄고 있다. 로렌스 전 총장은 이 같은 현상을 세계화가 던져 준 것이라고 분석한다. 그는 "지구상에 사는 30억 명은 중국이나 인도와 경쟁할 수 있는 능력이 없는 사람들"이라며 "미국을 포함한 상당수 국가의 중산층들이 세계화에 불안해하고 있다"고 강조했다.

중산층의 불안감이 포퓰리즘(Populism) 정치를 야기할 수 있다는 우려도 나오고 있다.

데이비드 거겐 하버드대 케네디스쿨 교수는 "중산층의 불안이 포퓨리즘 정치로 이어질 수 있다"고 말했다. 에드워드 마키 미국 하원의원은 "노조의 지지를 얻기 위해 내건 미국의 보호무역주의가 생각보다 미국 중산층의 지지를 얻고 있다"고 소개했다.

신흥국가 사람들의 중산층 진입 시도는 교육에 대한 수요를 신장시킬 전망이다.

프란시스 케언크로스 영국 엑스터칼리지 학장은 "대학교육이 중산층 자녀들의 지위를 유지하도록 도와줄 것이다"라며 "인도와 중국에서 밀려드는 중산층 진입 경쟁이 대학교육시장을 형성할 것"이라고 예상했다.

앞으로 중산층의 고민은 '행복한 삶'이 주제가 될 전망이다. 이안 골딘 옥스퍼드대 교수는 "소비 증가, 기대수명 향상, 교육기회 확대, 헬스케어 보장 확대 등으로 사회가 더 나아지면서, 중산층은 자신의 행복한 삶에 대해 고민하게 될 것이다"고 전망한다.

중국은 어느 나라보다 빈부 격차에 대한 고민이 큰 나라다. 중국은 급격한 경제 성장으로 미국 및 독일과 대적할 21세기 경제 대국으로 평가되고 있지만 빈부 격차 등 성장에 따른 부작용에 시달리고 있다. 중국 정부는 농촌 지역의 학교 수업비를 면제하고 기본 의료보험과 사회보장보험 적용 대상을 확대키로 하는 등 빈부 격차

중산층(Middle Class)

중산층이란 어느 정도의 사회 · 경제적 수준을 가진 사람들을 말하는 걸까? 아직까지 그 개념에 대한 정의는 정확하지 않다. 일반적으로 중산층은 상위 20%에 속하는 경제적 소득층을 일컫는다. 50% 정도라면 중간층에 해당한다.

다보스포럼은 중산층 사회에 스스로 속한다고 생각하는 '정신적 상태'가 중요한 지표가 된다는 입장이다. 세계은행은 '글로벌 중산층'의 개념을 구매력 평가 기준으로 1인당 연간 4,000달러(브라질 수준)에서 1만 7,000달러(이탈리아 수준)에 이르는 집단으로 정의내리고 있다. 4인 가족 기준 1만 6,000~6만 8,000달러의 소득계층이다. 한국을 기준으로 중산층은 자기집과 중형차를 소유하고 있고 자녀를 사립대학교에 보낼 수준이 돼야 한다. 소득수준은 연간 5,000만~7,000만 원 정도다.

'글로벌 중산층'을 말할 때는 세계적 생산품을 소비하고, 국제 수준의 교육을 원하는 계층을 말한다. 세계은행은 현재 '글로벌 중산층'이 4억 명이지만 2030년에는 12억 명, 즉 전 세계 인구의 16.1% 정도에 달할 것으로 보고 있다.

를 줄이기 위해 안간힘을 쓰고 있다.

원자바오 총리는 "중국이 세계경제 대국 대열에는 들어섰을지라도 1인당 GDP는 세계 100위에 들지 못한다"며 "앞으로도 꽤 긴 시간 동안 경제 성장은 여전히 우리의 핵심 과제가 될 것"이라며 소득 격차를 우려하고 있다.

40억 명의 저소득층을 공략하라

세계화는 긍정적인 역할도 해왔지만 부정적인 기능도 많았다. 정치인들과 기업인들이 그들의 생산물을 판매하기 위해 고객들을 대상으로 부정적인 행위를 해왔던 게 사실이다. 하지만 부정적인 요인이 주로 들춰졌기 때문에 세계화의 긍정적인 요소들에 대한 홍보가 필요하다는 지적이 있다.

맥킨지의 이안 데이비스 상무는 "세계화를 둘러싼 대부분의 이야기는 방어적이다"라며 "기업들은 세계화가 일자리 창출과 세금 납부, 저가 상품 생산에 기여했다는 측면을 설명할 수 있어야 한다"고 말한다.

그렇다면 세계화의 역효과는 왜 거론되는 것일까? 이는 전 세계 65억 명의 인구 가운데 40억 명 정도가 세계화의 영향으로부터 배제되어 있기 때문이다.

생활용품 업체인 다국적 기업 유니레버 CEO 패트릭 세스코는 "40억 명의 사회적 빈곤층, 즉 'BOP(Bottom Of the Pyramid, 피라

"
40억 명의 사회적 빈곤층,
즉 BOP들이 세계화에 배제돼 왔다.
이제 이들을 겨냥한
비즈니스 전략이 필요하다.
"

패트릭 세스코 유니레버 CEO

미드의 가장 아래쪽 사람들)*' 들이 세계화에서 배제돼 왔다"며 "이제 기업들은 이들의 니즈를 겨냥해 새로운 비즈니스 전략을 수립해야 한다"고 강조했다.

절대 다수의 대중을 겨냥해 창출할 수 있는 부의 기회가 있다는 지적이다. 그는 "기업의 사회적 책임은 자선 사업을 하는 게 아니라 이들 빈곤층을 겨냥해 성장과 혁신의 기회를 만들어내는 것이며, 기업들은 이러한 길을 향해 나아가야 한다"고 말했다.

데이비스 상무도 "기업들은 세계화의 도움을 받지 못하고 있는 개인들의 두려움을 완화시켜주는 역할을 해야 한다"고 주장했다. 예를 들어, 기업들이 의료비를 부담해주거나 교육비를 제공하는 보험상품 개발에 참여해 이들에게 혜택을 줄 수 있어야 한다는 의견이다.

세계화 승자들의 태도를 비난하는 의견도 있다.

2001년 노벨 경제학상을 받은 조셉 스티글리츠 콜롬비아대 교수는 "세계화의 득을 얻은 기업들은 패자들을 보상하기 위해 돈을 사용할 수 있지만, 실제로 패자들을 보상하는 기업들은 거의 찾아 볼 수 없다"고 승자들의 책임을 묻고 있다.

그는 "경제적 약자에게는 임금에 대한 불안이 크다"며 "사람들의 불안은 미국의 의료시스템과 같은 정책의 프레임워크와 관련있다"고 말한다. 정부 정책실패가 경제적 약자의 불안을 가중시킬 수 있다는 지적이다.

따라서 사회보장(Social Protection)의 기능을 기업 중심에서 사회중심으로 바꿔야 한다는 의견이 지배적이다. 사회보장은 경제협력개발기구(OECD)에서 자주 사용하는 용어로 사회보험과 사회구조를 포함하는 개념인 사회보장에 '건강 및 사회서비스'를 추가한 개념이다.

BOP(Bottom Of the Pyramid)

BOP는 미시간대 경영대학원 교수인 C.K. 프라하라드가 제시한 이론으로, 인도와 중국의 거대 소비층을 겨냥해 새로운 비즈니스 전략을 수립하라는 제언을 담고 있다.
프라하라드는 "가격 대비 효율을 높이기 위해서는 피라미드 상의 가장 아래쪽(Bottom Of the Pyramid)에 있는 수요층, 즉 경제적 약자들의 소비 행태를 명확히 파악해야만 한다"고 강조하고 있다.
비 도시권 시장의 BOP의 대다수가 하루 벌어 하루 사는 일용직 노동자들이다. 이들은 절대적으로 부족한 임금을 받고 있지만 수적으로는 어마어마한 규모다.
프라하라드는 앞으로 기업들의 기회는 피라미드의 최하층에도 있다고 말한다. 인구의 대부분이 빈곤층에 속하는 인도나 인도네시아 같은 나라에서는 이 빈곤층 인구의 엄청난 규모 때문에 이 최하층을 기반으로 한 비즈니스를 하는 것이 더 큰 성장의 기회가 될 수 있다. 따라서 'Bottom of the Pyramid' 비즈니스 모델은 인도 같은 나라에서 중요하게 생각하는 가장 큰 성장엔진 중의 하나가 되고 있다.

정부정책 입안과정에 기업인들이 보다 적극적으로 참여해야 한다는 지적도 있다. JP모건 체이스 CEO인 제임스 디몬은 "CEO들이 보다 적극적으로 정부정책 수립 과정에 참여해 잘못된 정부정책이 만들어지는 것을 막아야 한다"고 강조했다.

Ⅲ 힘의 이동 - 비즈니스 현장에서

"미국 경기침체에도 불구하고 세계경제는 유럽과 일본의 성장으로 또 다른 골디락스의 해를 맞이할 것이다. 중국과 인도 등 신흥시장이 처음으로 세계경제의 50%를 차지했다는 사실에 주목해야 한다."

로라 타이슨, UC버클리 경제학 교수
세계경제에 대한 긍정적인 전망을 제시하며.

"돼지들이 하늘을 난다면(If pigs could fly)."

존 매케인, 미 상원의원
중국이 초강대국이 되는 것을 원치 않는다는 질문에 반박하며.

1

신흥 소비자의 부상

39억 명이나 되는 아시아 인구가 기업들의 돈이 되는 날은 과연 언제쯤일까? 그들이 실구매력을 갖게 될 때까지 마냥 기다려야 할까, 아니면 값싼 제품을 생산해 지금부터 그들을 공략해야 할까?
글로벌화로 인해 생활에 여유가 생긴 신흥국가의 중산층이 신흥 소비 세력으로 대두되고 있다. 이들의 소비를 자극하는 비즈니스 모델은 과연 무엇일까?

40억 개도국 소비 세력을 잡아라!

아시아의 인구는 39억 명으로 전 세계 인구(65억 명)의 61%를 차지한다. 이는 곧 아시아의 저소득층이 구매력을 갖게 되면, 곧바로 거대시장으로 성장할 잠재력이 있음을 의미한다. 중국과 인도, 브라질, 멕시코 등 신흥 소비층의 등장으로 글로벌 기업들의 경영전략 수정이 불가피하게 되었다.

2007년 3월 현재 세계은행은 4,800달러인 개도국 1인당 평균소득이 2030년 1만 1,000달러로 늘어날 것으로 전망하고 있다. 이 기간 동안 선진국의 성장률은 평균 2.5%에 그치겠지만 개도국은

4.2%에 달할 전망이다. 글로벌 생산에서 개도국이 차지하는 비율도 23%에서 31%로 상승하고, 구매력도 세계 시장의 절반을 넘어서게 될 것으로 추정된다. 결국 생활수준이 향상된 중국, 인도, 멕시코, 브라질, 터키, 러시아 등 개도국의 소비 세력이 2030년 글로벌 경제의 주력엔진으로 급부상하게 된다.

골드만삭스는 '앞으로 15년 동안 인도의 평균 소득은 현재보다 4배 늘어나고, 자동차 구매인구는 약 5배가량 늘어날 것'이라고 전망했다. 또한 '원유 소비량도 3배로 늘면서 인도 정부는 많은 비용 부담을 안게 되고, 세계 원자재 시장의 긴장을 부추길 것'이라고 덧붙였다.

다국적기업들이 신흥국가를 무대로 종횡무진하면서 진정한 의

브릭스에 대한 외국인 직접투자 변화추이

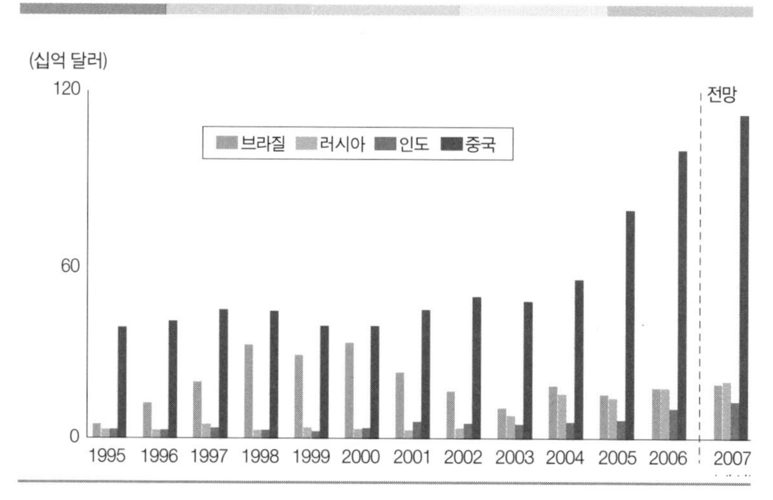

Source : IMF, UNCTAD, 프라이스워터하우스쿠퍼스

브릭스 국가들의 인구와 1인당 국민 소득(2006)

	중국	인도	러시아	브라질
1인당 GNI(US달러)	1,740	720	4,460	3,460
인구(백만 명)	1304.5	1094.6	143.2	186.4

미의 글로벌 기업으로 도약하고 있다. 앞으로는 글로벌 기업들이 새로운 파워센터의 부상, 혁명적 기술의 탄생, 사회적 협력관계(Social Affiliation)의 등장으로 조성된 새로운 환경에서 경영활동을 하게 되기 때문이다.

경영자들은 이 같은 환경에 대처할 능력이 있어야 한다. 필요하다면 비즈니스 전략을 외생적 환경 변화에 적응시킬 수 있어야 한다. 그와 동시에 M&A를 통해 탄생한 신흥시장의 라이벌들과도 치열한 경쟁을 벌여야 한다.

특히 인도, 중국과 같은 신흥시장의 대기업들은 이들 국가의 전체 산업구조를 새롭게 재편시키고 있다. 이 과정에서 이들 기업인들이 자신의 기업을 세계화하고 글로벌 조직체계를 만들기 위해 취할 전략들이 세계경제와 경쟁구도에 매우 중요한 의미를 던져 줄 것이다.

소수 글로벌기업 중심의 파워집단 체제가 무너지고 다수의 집단이 분산된 파워를 발휘하고 있다. 다수의 파워집단을 통해 여러 의견들이 분출되면서 그 힘이 자연스럽게 분산되고 있는 것이다. 분산된 힘은 기존의 기업경영 방식과 기업행위, 근로자들의 직업 활동 방식, 피고용인이나 동료로서 갖는 기대들을 변화시키고 있다.

동시에 첨단 과학기술은 흩어져 있던 작은 파워집단들을 연결시키고, 일반 대중들이 국제무대, 즉 글로벌 공동체로 진출하는 것을 도와주고 있다. 다수의 신흥 글로벌 기업의 부상이 가져올 권력의 분산, 기술의 진화로 등장할 인터넷 파워집단, 신흥경제력을 과시할 개도국 소비자들이 권력의 주체로 떠오르면서 새로운 힘의 역학관계를 만들어낼 전망이다.

기업들은 이제 가속되는 커뮤니케이션 파워가 어떻게 글로벌 고객의 기반과 기업운용체계를 바꿔놓게 될지에 대해 이해하고 인식할 필요가 있다. 왜냐하면 힘의 이동에 대응하고 혁신을 잘 활용하려면 새로운 비즈니스 모델들이 필요하기 때문이다. 또한 능력이 뛰어난 글로벌 인재를 식별, 유지하는 것 또한 중요해지고 있다.

또 다른 권력 분산의 증거는 도시가 하나의 기본적인 경제단위로 출몰하고 있다는 것이다. 도시화는 선진국이나 개도국 모두의 21세기 징표가 됐다. 그리고 도시는 경제성장과 혁신의 기폭제가 되고 있다. 지식집약 기업들을 집중적으로 육성하는 어떤 도시들은 자본과 인재를 갖춘 곳의 대명사로 통한다. 대표적인 곳으로 인

인도 방갈로르

인도 남부 카르나타카주 주도(州都)로 정보기술(IT) 산업의 메카로 통한다. 세계에서 4번째로 큰 테크놀로지 클러스터다. 인도 전체 IT인력의 3분의 1로 추정되는 40만여 명의 종사자들이 1,600여 개의 IT회사에 근무하고 있다.

방갈로르 시에서만 매년 3만여 명의 공과대 학생들이 배출돼 전 세계 IT인력의 조달 창구가 되고 있다. 특히 값싼 고급 기술인력을 앞세워 글로벌 IT기업들의 자본과 지점을 끌어들이고 있다. 방갈로르는 해발 900m가 넘는 고원지대에 있어 다른 지역보다 기후조건도 쾌적해 상당한 경쟁력을 갖추고 있다.

도의 방갈로르*가 있다.

세계를 이끄는 인도의 IT전사들

인도의 글로벌 서비스 분야 경쟁력이 거세지고 있다. 인도의 경쟁력은 매년 30만 명씩 배출되는 숙련된 기술 인력으로부터 나온다. 세계는 지금 패러다임 시프트의 한가운데 놓여 있다. 기업들은 값싼 신규 노동력을 찾아 국경을 넘나들며 비즈니스를 하고 있다.

인도의 젊은이들은 이 같은 글로벌 시대를 맞아 인도를 넘어 글로벌 경제의 주역으로 맹활약하고 있다. 그들이 언어에 능통하고

인도 IT 종사자 수

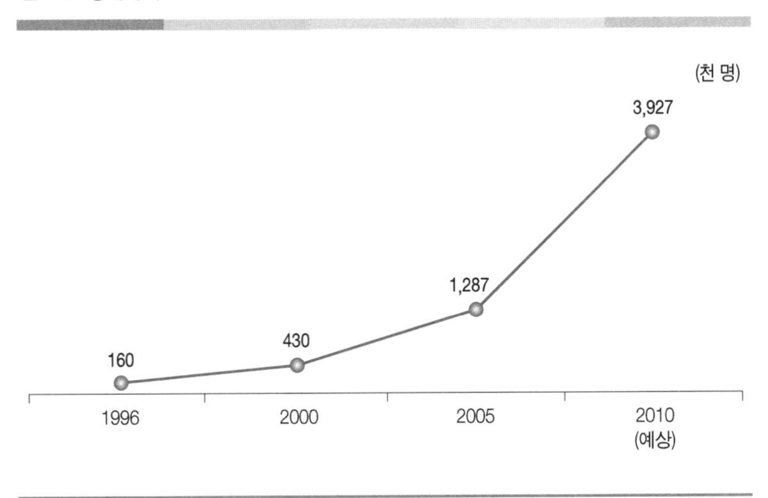

Source : 인도소프트웨어서비스기업협회

시대가 요구하는 정보기술을 마스터하고 있기에 가능한 일이다.

2007년 인도에 대한 외국인 투자액이 150억 달러를 기록할 것으로 보인다. 150억 달러 가운데 120억 달러가 해외기관투자(FII), 30억 달러가 외국인직접투자(FDI)로 이뤄질 전망이다.

카말 나스 인도 통상부 장관은 "인도는 세계에서 가장 많은 창업자들을 양산하고 있다"며 "이 같은 민간의 힘이 개발을 촉진시키고 있다"고 말한다. 비벡 폴 TPG 파트너는 "인도는 매달 세계에 수천만 명의 기술 인력을 공급하고 있다"며 "인도가 세계화의 중심 세력이 되고 있다"고 평가한다.

인도의 경쟁력은 고등 교육을 받은 근로자와 언어 능력, 정치적 안정, 기업가 정신에서 나온다. 매년 30만 명씩 배출되는 엔지니어도 커다란 경쟁력이 되고 있다. 반면 사회간접자본의 부족이 과제도 남아 있다.

기업은 글로벌 무대를 향해 뛰어라!

지구촌 힘의 이동은 특히 다국적 기업의 경영자에게 중요한 의미가 있다. 성장이 있는 곳으로 달려가 기회를 찾고 수익을 창출해야 하기 때문이다. 경영자들은 실시간으로 매초 매분마다 기업경영의 결과를 관리해야 한다.

토마스 스튜어트 하버드비즈니스리뷰 편집장은 "좁은 내수 시장을 벗어나 세계의 중요한 변화에 주목해야 글로벌 기업으로 성장할 수 있다”고 말한다. 그가 말하는 세계의 중요한 변화는 세 가지다.

첫 번째, 시장의 힘이 기업에서 고객으로 이동하고 있다는 것이다. 두 번째, 신흥시장의 경제적인 도약이다. 세 번째, 사회적 요구, 즉 기업의 사회책임경영(CSR)*에 대한 사회적 압력의 증가다.

스튜어트는 “이 같은 변화는 지정학적, 세대 간 이동 형태로 진행되고 있다”며 “젊은 세대와 비 서구권(Non-western) 세계 소비자들의 기호가 시장전략을 지배하기 시작했다”고 말한다.

이 같은 세 가지 힘의 이동에 이어 네 번째 힘의 이동이 금융 분야에서 일어나고 있다. 세계 금융시장을 지배했던 국제 금융시장의 영향력이 뉴욕에서 런던으로 옮겨지고 있기 때문이다.

로버트 다이아몬드 바클레이즈 사장은 “유럽 공동통화인 유로화의 탄생이 유로채권의 발행을 이끌면서 런던이 수혜지역으로 떠오르고 있다”고 분석한다.

사회책임경영(CSR)

사회책임경영(Corporate Social Responsibility Management)은 기업이 이윤 추구와 동시에 사회적인 가치를 지향하는 경영활동을 말한다. 영리를 목적으로 하는 기업이 단순히 이윤을 추구하는 것만으로는 더 이상 존속할 수 없다는 ‘지속가능경영(Corporate Sustainability Management)’을 기초로 한다.
기업의 지속적인 성장을 위해서는 주주중시경영(Stock Holderism)만으로는 한계가 있다. 때문에 종업원, 고객, 주주, 사회단체 등 기업에 관련된 ‘모든 이해관계자를 함께 고려하는 경영(Stake Holderism)’이 현대 사회에서는 더욱 중요하다.
따라서 기업은 1차 이해관계자인 기업주, 주주, 경영자, 종업원, 2차 이해관계자인 고객, 협력업자, 경쟁자, 노동조합, 3차 이해관계자인 지역주민, 소비자 단체, 정부, 여론 등과 함께 호흡할 수 있어야 한다. 사회책임경영은 윤리경영, 투명경영, 사회공헌, 환경보호, 나눔경영 등 다양한 형태로 나타나고 있다.

실제로 유로화 사용 이후 미국 투자은행들의 언더라이팅(유가증권 인수 주선)* 독점 현상이 사라지고 있다. 5~10년 전 미국 달러화가 지배하던 뉴욕 중심의 금융센터에서 현재는 두 개의 커다란 유동자산 금융센터가 지구촌 금융파워를 형성해가고 있다.

로버트 다이아몬드는 "부의 소유권이 아시아로 이동하면서 바클레이즈의 수익도 5년 전 영국(90%) 중심에서 아시아로 이동해 영국에서의 수익 비중이 2007년 50%로 떨어진 데 이어 2008년에는 20%로 줄 것"이라고 전망한다.

다보스포럼은 글로벌 무대를 향해 도약하는 기업들이 지구촌의 서로 다른 형태의 여러 시장을 공략하려면 각기 다른 현지시장에 맞는 '맞춤형 전략'이 필요하다고 충고한다. 이는 세계경제가 힘의 이동으로 인해 '양갈래 길'에 놓여 있기 때문이다.

영국 이동통신업체 보다폰 그룹 CEO인 아런 사린은 "선진국의 저성장과 신흥국가, 즉 개도국의 고도성장이 세계경제를 두 갈래로 만들 것이기 때문에 기업들은 두 개의 서로 다른 전략을 동시에 펼 수 있어야 한다"고 강조한다.

언더라이팅(Underwriting)

은행, 증권사와 같은 금융기관이 신규로 발행하는 기업의 유가증권을 팔 목적으로 발행인으로부터 대가를 받고 그 전부 또는 일부를 취득하거나 취득할 자가 없는 경우, 그 잔여분의 취득 계약을 체결하는 것을 말한다.
또한 수수료를 받고 발행인을 위해 유가증권을 공모 · 주선하거나 모집 · 매출을 분담하는 계약도 인수에 포함된다. 이러한 업무를 취급하는 자를 인수인 또는 인수업자라고 한다. 보험에서는 보험사가 보험가입 대상자가 원하는 보험에 가입을 원할 때, 피보험자의 위험률과 보험료를 정하는 계약심사 행위를 일컫는다.

위의 말처럼 보다폰의 경영전략도 영국과 인도에서 확연한 차이를 나타낸다. 미국과 유럽처럼 성숙한 시장을 관리할 때는 전통적인 수법, 즉 비용 컨트롤, 단계별 수익창출전략이 필요하고, 신흥시장에서는 성장이 가장 중요하다는 지적이다.

따라서 신흥시장에서는 시장 점유율을 확대하기 위한 과감한 투자 결단이 중요하다고 지적한다. 직원들 또한 한 회사 내에 존재할 수 있는 두 개의 전혀 다른 기업문화를 인정하고 받아들일 수 있어야 한다.

아시아 신흥 대기업이 밀려 온다

인도와 중국 경제의 부상과 함께 아시아의 신흥 대기업들이 세계를 긴장시키고 있다. 최근 급성장한 이들 기업은 세계 기업 판도를 재편하고, 새로운 경쟁의 단초를 제공하고 있다.

중국, 브라질, 인도, 러시아 등 개발도상국의 다국적 기업들이 세계 시장의 판도를 바꾸고 있다. 〈비즈니스위크〉는 이들 다국적 기업들이 통신서비스 산업을 비롯해 농기구나 냉장고, 항공기 산업에 이르기까지 전 영역에서 국제 경쟁 규칙을 바꾸고 있다고 보도한다.

아시아의 기업들은 역동적인 시장, 값싼 자원을 경쟁력의 기초로 하고 있다. 또한 세계화와 인터넷의 보급으로 서구 기업의 경영기술, 정보, 자본 등을 다룰 수 있는 노하우를 손쉽게 터득하고 있다. 또한 세계 소비 경향과 기술을 빠른 속도로 흡수해 의사결정 시스템이 복잡한 서구의 기업들을 따돌리고 빠르게 제품을 공급하고 있다.

〈비즈니스위크〉는 세계시장에 진출하기 전 내수시장에서 보호받고 있는 한국과 일본의 재벌과는 달리, 이들 신흥 대기업들은 이미 자국 시장에서부터 서구의 다국적 기업이나 국내 경쟁 기업과 치열한 경쟁을 벌여 살아남은 기업들이기 때문에 경쟁력이 있다고 분석하고 있다.

2007년 1월 말 인도 타타 그룹의 계열사인 타타스틸은 영국 최대 철강업체인 코러스를 인수해 세계 5위 철강회사로 도약했다. 세계 56위 인도 타타스틸이 세계 9위의 영국 코러스를 인수한 것은 '새우'가 '고래'를 삼키는 매머드급 인수합병(M&A)이었다. 금액만 113억 달러로, 인도 사상 최대 규모다.

타타스틸의 코러스 인수는 초대형 M&A 차원을 넘어 인도인들의 자존심을 회복시켜주는 일대 사건으로 평가된다. 대영제국의 상징과도 같았던 코러스가 이제는 인도의 깃발 아래 들어갔기 때문이다. 이는 인도 경제가 식민 지배를 받았던 영국의 그늘에서 벗어났다는 자신감의 표현이기도 하다.

이에 앞서 인도 미탈스틸은 2006년 초 유럽 최대이자 세계 2위 철강업체 아르셀로(Arcelor)를 인수해 세계 최대 철강업체가 됐다.

중국의 컴퓨터 제조업체인 레노버는 2004년 12월 IBM의 PC 사업부를 인수했다. 인포시스 테크놀로지, 타타 컨설턴시, 와이프로 등 인도 정보통신 업체들도 인도 국경을 넘어 세계시장으로 나가고

“

인도는 전 세계 기업의
아웃소싱 창구가 되어 세계의 부를
창출해주고 있다. 이는 인도의
기업가정신을 부추기는 핵심요소다.

”

아짐 프렘지, 와이프로 회장

있다. 또한 남아공의 주류업체 SAB밀러는 미국 안하우저-부시의 아성에 도전하고 있다.

멕시코의 아메리카 모빌은 라틴 아메리카에서 1억 명 이상의 가입자를 확보하며 세계시장에 도전장을 내밀고 있다. 브라질 엠브라엘은 세계 3위 항공기 생산업체로 부상해 유럽의 항공기 컨소시엄인 에어버스와 미국의 보잉을 긴장시키고 있다.

인도의 통신업체 와이프로 회장인 아짐 프렘지는 “인도 기업인들의 야망과 확신이 커지고 있다”며 “아웃소싱 창구가 되어 세계의 부를 창출해 준 인도의 소프트웨어 업체들의 성공신화가 인도의 기업가정신을 부추기고 있다”고 말한다. 이렇게 새로이 부상하는 창업자정신이 부러움의 대상이 되고 있다.

하지만 한편으로 아시아의 신흥 재벌들은 새로운 도전에 직면하고 있다. 이들 기업이 성장을 위해 달려오느라 미처 리스크를 완화시킬 전략을 세우지 못한 것이다. 또한 유능한 인재를 끌어들이고,

회사 내 인재 유출을 막아야 할 과제도 안고 있다.

인포시스 테크놀로지의 난단 닐레카니 사장은 "인도 경제가 매년 8%씩 성장함에 따라 유능한 인재를 조달하는 게 심각한 문제가 됐다"며 "인포시스가 최고의 일자리라는 브랜드 파워를 키우고 직원들에게 새로운 교육기회를 제공하기 위해 노력하는 것이 가장 중요한 일이 됐다"고 강조한다.

미국계 투자은행인 리만브라더스 인도 사무소는 직원 유출을 막는 일환으로 직원들에게 회사의 주식을 나눠주고 있다. 리처드 펄드 리만브라더스 회장은 "인도 사무소의 직원 이직률이 25~30%에 달한다"며 "미국의 다른 투자은행들은 인도 직원을 채용하기 위해 주식을 제공해야 한다"고 지적한다.

중국 비즈니스의 경우 언어문제가 심각한 상황이다. 에드워드 티안 차이나넷콤 그룹 부회장은 "중국 대기업 중 소수의 최고경영자들만이 영어를 능숙하게 사용할 수 있다"며 "인프라의 제약, 후진적인 기업 지배구조, 투명성 결여, 환경문제 등이 기업성장을 저해하고 있다"고 진단한다.

수익 경영과 지속가능한 성장

기업의 사회책임경영은 비용인가, 투자인가? 이익 창출이 중요하지, 어떻게 사회책임경영이 우선일 수 있는가?
지금까지 한국을 지배해왔던 고루한 시각이 도전을 받고 있다. 다보스포럼에 참석한 글로벌 리더들은 기업의 경영활동과 사회책임이 별개의 선택사항이 아닌, 기업의 지속가능한 성장을 위해 똑같이 중요한 필수 과제라는 점을 강조한다.

사회책임경영 필수시대

사회적 책임활동이 선진 기업의 중요한 경영전략이 되고 있다. 영리만을 목적으로 기업을 경영하던 시대는 끝났기 때문이다. 기업 내부자였던 주주와 임직원, 특히 주주 중심 경영이 도전받고 있다. 그에 비해 기업을 둘러싼 시민단체, 고객, 협력업자, 경쟁자, 언론 등 다수의 이해관계자들과 협력적 관계를 구축하는 사회책임경영(CSR)이 각광을 받고 있다.

단순히 이윤을 추구하는 것만으로는 기업이 더 이상 존속할 수 없는 시대가 되었다. 따라서 기업의 사회책임을 단순한 자선사업

쯤으로 간주해서는 안 된다. 사회책임경영은 이제 기업의 기본적인 활동 영역이 됐다. 이로 인해 지구촌 경제에서는 '기업의 영속성'이란 화두가 전략적 우위(Strategic Advantage)로 간주됐던 기업의 사회적 책임경영의 영역을 벗어나고 있다.

이에 따라 다보스포럼은 기업의 리더들이 도시, 즉 지역사회가 자원과 폐기물, 에너지, 이동수단의 관리에 대한 지속가능한 해법을 찾아낼 수 있도록 적극 협력해야 한다고 강조한다. 분산돼 있는 파워, 즉 다수의 이해관계자들은 글로벌 시장과 개별 기업의 비윤리적 행위에 침묵하지 않는다는 사실을 알아야 한다.

세계화에 대한 반발은 세계화에 반대하는 편협한 경제적 이해관계 때문에 오히려 힘을 얻고 있다. 이익 창출을 위해 자본과 상품, 서비스의 자유로운 이동을 추구하는 기업들은 이 같은 기류를 이해하고 이해관계자들로부터 신뢰를 얻기 위해 노력해야 한다. 그래야 교역을 확대할 수 있고 지속가능한 기업을 만들 수 있다.

국가마다 다른 글로벌 시스템에 대한 이해도 필요하다. 통제할 수 없는 금융리스크에 효과적으로 대처할 수 있도록 국제제도의 개혁과 잘 설계된 효과적인 규제 시스템 마련에 적극 참여해야 한다.

다보스포럼은 기업들이 이 같은 위험 요소에 대처할 새로운 체제를 찾아내기 위해 협력하지 않으면 많은 것을 잃게 될 것이라고 경고한다. 이런 점에서 글로벌 리더들은 기업 경영자들에게 기후변화(Climate Change)에 대처할 책임이 있다고 한목소리를 낸다.

경영자들은 증가하는 환경규제를 준수하고, 기후변화 리스크를 완화할 시장 메카니즘을 따를 의무가 있다고 강조한다. 에너지 소비와 기후변화 사이의 밀접한 관계로 인해 전 세계 산업과 에너지 자원을 사용하는 기업들에게 강한 의무감을 부여하고 있다는 것이다.

부동산 버블이 성장을 방해할까?

부동산 버블 붕괴가 임박한 것일까? 한국의 부동산 거품론에 대한 논의와 함께 지구촌 부동산 경기에 대한 논란도 뜨겁다. 버블 붕괴는 소비 위축으로 이어지고 부동산을 담보로 소비자와 기업 대

"일본의 부동산 버블 붕괴는 중앙은행 정책실패 때문에 확대됐다."

프랑켈 메릴린치 인터내셔널 부사장, 오트마 이싱 유럽중앙은행 수석이코노미스트, 로버트 실러 예일대 교수(왼쪽부터)

세계 주택가격 증가 추이

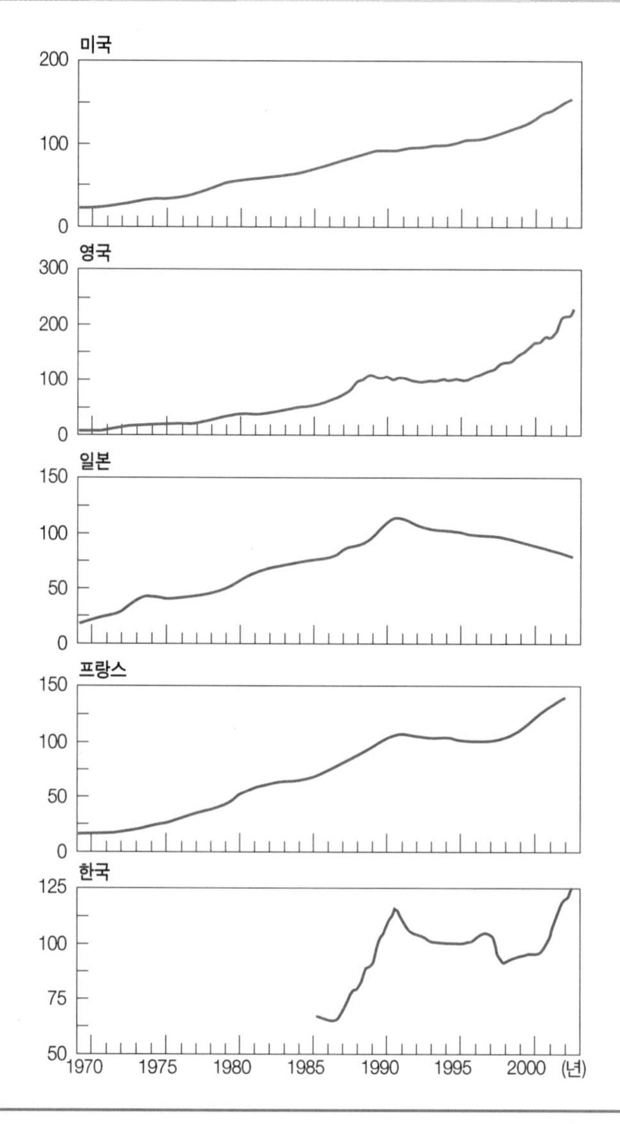

Source : 국제결제은행BIS

출에 의존하고 있는 금융기관과 기업 자금난의 위기, 투자 위축으로 연결될 수 있기 때문이다. 이렇게 되면 당연히 경제성장이 둔화되거나 멈출 수밖에 없다.

강한 수요에 힘입어 수년 동안 상승세를 보였던 선진국 주택경기가 천장을 쳤다는 게 지배적인 시각이다. 하지만 주택가격의 조정이 신속히 이뤄질지, 아니면 천천히 진행될지에 대해서는 의문이다. 또한 경제적 충격이 완만할지, 금융시장에 큰 불안을 몰고 올지도 의문이다.

다보스포럼은 미국 등 선진국 부동산에 버블이 있다는 입장이다. 로버트 실러 예일대 교수는 "현재의 부동산 거품은 역사상 가장 큰 부동산 붐"이라고 규정하고, "독일과 일본은 버블로부터 벗어나 있고 미국과 아일랜드는 버블 붕괴 가능성이 있다"고 예상한다. 이러한 예측은 미국과 아일랜드의 집값이 지난 8년 새 2배가량 올랐다는 사실에 기인한 것이다.

1980년대 후반과 1990년대 초반, 일본 부동산 버블 붕괴는 실물경제에 막대한 충격을 안겨줘 이후 15년간 집값 하락의 원인이 되었다.

주니치 유지 노무라 홀딩스 회장은 "일본의 버블은 중앙은행 정책실패 때문에 확대됐다"며 "부동산 시장이 과열됐을 때 금리를 신속히 인상하지 못했고, 반대로 버블이 붕괴됐을 때 이자율을 낮추는 데 뒷북을 쳤다"고 주장한다. 중앙은행의 효율적인 이자율 정책이 부동산 가격 안정에 중요한 역할을 할 수 있는데 일본의 경우 정책 선택에 실패했다는 지적이다.

그러나 일본의 버블 붕괴는 현재의 글로벌 부동산 과열현상과는 다소 차이가 난다는 시각이다. 당시 일본은 주식과 상업 부동산, 공업 부동산 등 모든 부동산이 과열상태였지만, 선진국들에서는 현재 주택가격에서만 과열현상이 나타나고 있기 때문이다.

이를 종합해볼 때 향후 부동산 거품 붕괴는 일부 국가의 일부 지역에만 한정될 것으로 보인다.

군림하는 CEO의 시대는 갔다

"인터넷으로 대표되는 신경제의 부상이 '제왕형 최고경영자(Imperial CEO)'의 관에 마지막 못을 박았다."

다보스포럼은 최근 미국에서 최고경영자(CEO)들이 잇달아 수난을 겪고 있는 것과 관련해 '제왕적 CEO의 몰락'을 경고하고 있다. 강력한 카리스마로 기업성장을 이끌었던 CEO의 절대 권력보다는 조직 내에 창조성이 살아 숨 쉬도록 하는 리더십이 각광을 받고 있다는 지적이다.

세계 최대 가정용 건축자재 유통업체 홈디포의 회장이었던 밥 나델리의 퇴진도 결국 독재적인 리더십 때문이었던 것으로 판단된다. 미국 소프트웨어업체 선가드의 크리스토벌 콘드 CEO는 "CEO의 역할이 과거 상명하달식으로 모든 것을 지시하는 것에서 탈피해 직원들이 자유롭게 아이디어를 개발할 수 있도록 격려하는 것으로 바뀌었다"고 지적했다.

21세기는 소비자 중심의 경제체제이므로 CEO의 가장 중요한 덕목은 사내 협력을 도모해 창의적인 비즈니스 모델을 만드는 것이다. 따라서 절대 권력을 휘두르던 CEO의 시대는 가고 있는 것으로 봐야 한다.

〈파이낸셜타임스〉는 'CEO가 기업 전략을 세울 때 직원과 사회를 분리해서 생각할 수 없다' 며 '기업 경영 방식이 새로운 기로에 봉착했다' 고 보도한다.

무흐타르 켄트 코카콜라 사장은 "현실에서는 여전히 기업의 10년 후 비전을 세우는 것이 리더의 역할" 이라며 "점차 직원과 고객이 바라보는 리더의 이미지가 중요해질 것" 이라고 전망한다. 그는 "그러나 앞으로 10년 내 10억 명 이상의 새로운 소비자가 시장에 등장할 것이다. 제왕형 CEO는 갈수록 수평화되는 소비자의 요구에 일일이 대응할 수 없고 급변하는 시장 변화에 둔감할 수 있다" 고 지적한다.

따라서 앞으로 CEO의 중요한 덕목은 수평적인 의사결정 구조체제를 갖추게 된 21세기형 조직을 효율적으로 경영하기 위해 주요 의사결정을 밑으로 위임하고, 모든 구성원이 자기 스스로 일을 완수할 수 있는 분위기를 만들어 주는 것이 될 것이다.

제왕형 CEO에 대한 비난이 커진 것은 브리스톨마이어스의 CEO 피터 돌란과 패트리샤 던 휴렛패커드 회장이 독단적인 경영으로 퇴진한 데 따른 것이다. 리더가 모든 것을 결정하는 시스템에서는 빠르게 변화하는 기업 환경을 따라갈 수 없다는 한계도 지적된다.

〈이코노미스트〉도 'CEO가 기업 경영을 주도하던 제왕형 CEO

시대는 가고, 몇몇 주주가 기업을 뒤흔드는 '제왕적 주주' 시대가 도래하고 있다' 고 보도하고 있다.

가열된 CEO 연봉 논란

'CEO 연봉, 이제 그만 올라야 한다.'

다보스포럼에 참석한 CEO들이 고민에 잠겼다. 다보스포럼에서도 CEO 연봉이 지나치게 오르고 있다는 목소리가 거세지고 있기 때문이다.

미국 기업의 고액 연봉과 퇴직금이 도마 위에 오르고 있다. 6자리(10만 달러), 7자리(100만 달러)의 CEO 연봉이 기업의 실적과 성장 사이에 특별한 인과관계를 설명해주지 못하고 있기 때문이다.

다보스포럼은 오픈세션인 'CEO 연봉, 어디까지 올라가나?' 를 통해 끝없이 오르는 CEO 연봉을 비판하고 나섰다. 다보스포럼의 다른 세션과는 달리 오픈세션은 참석자의 제한이 없으며, 열린 공간에서 개최된다.

시민운동가들은 "밥 나델리의 '황금낙하산(Golden Parachute)*' 이 전 세계를 격분케 했다" 고 말한다. 주택자재 유통회사인 홈디포의 전임 CEO 밥 나델리는 퇴직하면서 2억 1,000만 달러의 거액을 받았다. '황금낙하산' 은 이사회가 M&A에 대비해 CEO의 퇴직금을 높게 책정한 제도를 말한다.

또 그들은 "CEO들의 높은 연봉이 이제 막 발전하기 시작하는 나라들에 악영향을 줄 수 있다"고 강조한다. CEO들의 높은 임금이 투자 감소를 유발하고 결과적으로 중국과 인도 등 국가들의 중간층 일자리를 감소시킨다는 주장이다.

다보스포럼 참석자들은 "이와 같은 일이 이어지면 소득의 불균형을 가져 온다"며 "결과적으로 세계화에 대한 반발을 불러일으킬 것"이라고 언급했다. 스위스의 시민운동가 토마스 마인더는 "CEO들의 임금은 완전히 병적"이라고 말하며 "경영자들도 일반 근로자처럼 고용되긴 마찬가지"라며 CEO들의 태도를 비판하고 있다.

공방전이 가열되자 홈디포 이사회는 신임 CEO인 프랭크 플레이크의 연봉을 실적에 따라 890만 달러로 제한하겠다고 발표했다. 밥 나델리가 연봉 2,400만 달러를 받아온 것에 비하면 눈에 띄게 줄어든 금액이다.

다보스포럼에 참석한 바니 프랭크 미국 하원 금융위원회 위원장은 "연봉 협상에서 주주들에게 더 많은 권리를 부여할 것"이라며 "주주들이 CEO의 임금에 투표권을 행사할 수 있도록 입법할 예정"이라고 밝혔다.

황금낙하산(Golden Parachute)

CEO의 퇴직금을 높게 책정해 적대적 M&A를 방어하려는 제도. CEO에게 거액의 퇴직금을 약속함으로써 M&A를 시도하는 기업에 비용부담을 높게 해 인수를 방해하려는 전략이다.

CEO는 신분을 보장받을 수 있고, 기업은 M&A 비용을 높여 적대적 M&A를 방어할 수 있게 된다. 그러나 무능한 경영자에게 과도한 혜택을 준다는 비판도 있다.

무엇이 성장을 멈추게 할 것인가?

기후변화가 세계경제성장의 발목을 잡을 수 있을까?

다보스포럼은 경제성장을 막을 절대적인 걸림돌은 없다고 단정하고 있다. 심지어 세계가 급속한 기후변화에 직면하고 특히, 개도국이 물 공급난에 휩싸인다 하더라도 경제성장은 멈추지 않는다고 판단한다. 전체적으로는 낙관론이지만 심각한 타격은 불가피할 전망이다.

프라이스워터하우스쿠퍼스가 2007다보스포럼에 참석한 CEO 1,100명을 대상으로 실시한 설문 결과를 보면 처음으로 규제나 경쟁문제보다 기후변화와 농산물, 광물, 원유 등 1차 상품 부족 문제가 성장을 가로막는 중요 이슈가 될 것이라는 분석이 나왔다.

다보스포럼은 또한 물 부족이 성장의 걸림돌이 될 수 있다는 의견을 제시했다. 인간이 사용가능한 지구의 물 공급량은 한 해 9,000㎦이며 이 중 인간이 실제 쓰는 양은 4,300㎦에 불과하다. 절대량으로 볼 때는 여유 있어 보이지만, 인구증가와 물자원의 지역적 편재가 사태를 심각하게 만든다.

1950년 25억 명이던 세계 인구는 1990년 53억 명으로 2배 이상 증가했다. 2007년 현재 65억 명을 넘어섰다. 미국 인구통계국은 세계 인구가 2025년 83억 명, 2050년에는 100억 명에 이를 것으로 추산하고 있다. 이 경우 물 소비는 기하급수적으로 증가한다.

피터 브라벡 네슬레 회장은 "세계경제 성장에 우려되는 하나의 요소는 물 문제"라며 "물공급은 이를 규제하는 시장 메카니즘이

다보스포럼에 참석한 CEO들이 내다본 성장의 걸림돌

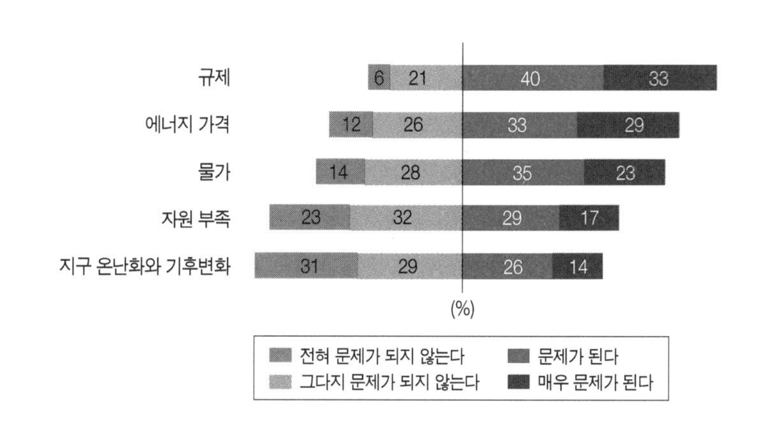

Source : 프라이스워터하우스쿠퍼스

없기 때문에 더욱 심각하다"고 경고한다.

프레드 킨들 ABB 대표는 "바닷물을 생각하면 충분한 물이 있지만 바닷물을 생수로 전환하려면 다량의 에너지를 필요로 하고 이는 물 값 상승을 야기한다"고 지적한다. 상승하는 물 값이 개도국 저소득층의 성장에 악영향을 줄 수 있다는 분석이다.

산업지도 바꾸는 컨버전스 물결

데이터와 음성, 동영상, 이동통신 서비스의 통합, 즉 컨버전스가 컴퓨터와 통신, 미디어 산업의 지도를 바꿔놓고 있다. 이와 관련한 기술혁신에 대한 이해도는 상대적으로 높지만 기술혁신으로 소비자와 사회에 어떤 영향이 일어나고 있는지에 대한 이해는 낮은 편이다.

다보스포럼은 컨버전스*라는 화두가 미디어와 산업계의 핵심 주제가 됐다고 단언한다. 비즈니스 전략 및 비즈니스 변화관리를 전문으로 하는 컨설팅회사 TCG Advisors의 지오프리 무어 상무는 "소비자 수요가 기술을 따라가고 있다는 가정을 기초로 컨버전스가 이뤄지고 있지만 밸런스가 중요하다"고 지적한다.

이에 대해 김신배 SK텔레콤 사장은 "같은 장비에 여러 응용기술을 단순히 결합하는 것만으로는 수요를 창출하기 힘들다"며 "제품 판매자들은 소비자가 원하는 상품, 그들이 기꺼이 가격을 지불하려고 하는 새로운 서비스, 소비자가 미처 깨닫지 못했던 서비스를 찾아내기 위해 노력해야 한다"고 강조한다.

"
디지털고객의 니즈를 찾아내기 위해
기업은 깊이 있게
시장조사를 해야 한다.
"

김신배, SK텔레콤 사장

“

컨버전스 기술의 융합은
비즈니스 모델을 직원과 소비자들이
상호 교류할 수 있는
모델로 바꿔놓았다.

”

존 챔버스, 시스코시스템즈 회장

김신배 사장은 “예를 들어, 휴대폰을 통해 다른 사람들이 게임을 하는 것을 본 뒤에 온라인 비디오 게임이 확산되고 인기를 끌게 된 일이 있다. 잠재적인 수요를 찾아내기 위해 기업은 깊이 있게 시장조사를 해야 한다”며 디지털 고객 ‘니즈 발견’의 중요성을 역설한다. 그는 이런 관점에서 고객의 입장에서 고객의 신발을 신고 걸어보는 노력을 기울이라고 지적한다.

인터넷을 통해 이뤄지는 첨단 마케팅 기법들은 프라이버시 문제를 낳고 있다. 논란이 되는 광고는 ‘콘텍스추얼 광고(Contextual Advertising)’로, 이는 검색엔진이 소비자의 인터넷 사용 패턴을 파악해 직접 광고를 띄워주는 마케팅 방법이다.

구글도 이미 ‘구글 콘텐트-타깃 광고(Google Content-Targeted Advertising)’라는 이름으로 서비스하고 있다.

이 광고는 만일 사이트 방문객이 여행에 관한 페이지를 보고 있는 것이 포착되면, 광고 시스템이 여행에 관련된 광고를 방문객에게 전달해 준다. 또한 페이지에 있는 단어나 다른 정보들을 읽어 페이지 콘텐츠 내용을 확인한다.

EU 정보사회와 미디어(Information Society and Media) 위원장인 비비안 레딩은 "소비자들은 기술 발달이 프라이버시를 보호해 줄 것으로 낙관하고 있다. 하지만 기업들은 그러한 해법을 만들어내는 데 소극적이다"라고 질타한다.

구글 CEO인 에릭 쉬미트는 "기업의 유일한 자산은 브랜드와 고객의 신뢰라는 점을 이해해야 한다"며 "컨버전스는 서비스 공급자들이 정보를 모으고 결합시키는 능력을 과대하게 키워내고 있는 게 문제"라고 지적한다.

하지만 컨버전스는 소비자 시장에서보다 기업 시장에서 더디게 진행되고 있다.

존 챔버스 시스코시스템즈 회장은 "컨버전스 기술의 융합은 명령-제어형(Command and Control) 비즈니스 모델을 직원과 소비자들이 보다 직접적이고 유연하게 상호 교류할 수 있는 임파워먼트(Empowerment, 권한 위임) 모델로 바꿔 놓았다"고 말한다. 그는 이

컨버전스(Convergence)

컨버전스란 여러 기술이나 성능이 하나로 융합되거나 합쳐지는 것을 말한다. 단순한 통합만이 아닌 두 가지 이상이 업그레이드되거나 새로운 것이 재창조되는 것을 일컫는다.

컨버전스는 다양한 분야에서 사용되고 있다. 디지털 컨버전스는 프린터와 스캐너 기능이 결합된 복사기, 디지털 카메라, DMB, MP3 기능이 합쳐진 휴대폰 등 다양하다. 교통카드와 도서 대출카드 기능을 결합한 학생증도 컨버전스의 한 형태다.

러한 변화가 제품 개선의 다음 단계에 거대한 물결을 몰고 올 것이라고 전망한다.

투자회사인 실버레이크 테크놀로지의 창업주 글렌 허친스도 "주문형 비디오(VOD)의 확산으로 저장장치의 수요가 늘어 디스크 드라이브 제조업체를 이롭게 하고 있지만, 짧아진 제품수명과 경쟁형태는 장치 제조업체나 통신 서비스업체들의 수명을 불안하게 하고 있다"고 말한다.

컨버전스를 통한 기술혁신과 소비자 니즈의 정확한 접목이 기업을 새로운 성장의 세계로 안내할 수 있다는 분석이다.

웹2.0시대 새로운 기업경영 방식은?

기업은 웹2.0시대에 맞는 경영 틀을 가지고 있는가?

웹2.0시대의 고객과 호흡하려면 지금까지의 고객접근 방식을 전면적으로 개선해야 한다. 웹2.0시대의 도래가 새로운 기업경영의 틀을 요구하고 있기 때문이다.

기술의 진화가 사회와 기업에 새로운 변화를 요구하고 있다. 개인이 정보를 얻거나 콘텐츠를 만드는 일이 용이해졌고, 이에 따라 소비자의 힘이 강해지고 있다. 인터넷의 발달은 지역과 국경을 넘어 새로운 커뮤니티를 형성해가고 있으며, 개인들은 새로운 정체성을 확립하는 과정에 있다.

미국 미래학자 피터 슈워츠 글로벌비즈니스네트워크 회장, 온라인 사진인화사이트인 플리커(Flickr)의 카타리나 페이크 창업자 등은 웹2.0의 임팩트를 고려해 새로운 네트워크 모델을 만들라고 조언한다.

개인의 정체성 확립에 대해 소설가 파울로 코엘료와 수잔 그린필드 영국 왕립연구소장 등은 "웹2.0시대 고객의 정체성에 대해 심각하게 고민해야 한다"고 말한다.

경제중심이 옮겨가고 있고, 혁신적인 기술과 사회관계가 변화함에 따라 기업의 경영방식도 달라져야 하며, 제품군에도 차별화가 필요하다는 것이다. 게다가 소비자들의 역할도 커지고 있어 경영자들은 그러한 변화에 빠르게 적응해야 하는 상황이다.

무흐타르 켄트 코카콜라 최고운영책임자(COO)와 라케시 쿠라나 하버드대 경영대학원 교수, 크리스토벌 콘데 선가드데이터시스템 CEO는 경영환경 변화를 정확히 읽어내는 기업이 웹2.0시대를 리드할 수 있다고 말한다.

'네트워크 경제' 선도할 5대 전략은?

'정보 전염병'을 극복하라!

다보스포럼은 '힘의 이동 시대'를 맞아 기업의 최고경영자들을 대상으로 5대 제언을 하고 있다. 제언의 요체는 '네트워크 세계의 리더십'을 어떻게 선도할 것이냐이다. 다보스포럼은 CEO들에게 거미줄처럼 연결되는 네트워크 경제를 선도할 수 있는 5대 전략으로 협력적 혁신, 미래 인재 발굴, 기업 평판 관리, 제도 개혁, 에너지 전략을 강구할 것을 제안하고 있다.

특히, 디지털 시대, 기업 리스크에 대한 정보나 비(非)윤리경영에 대한 루머는 인포데믹스(Infodemics), 즉 정보 전염병(Information Epidemics)이 되어 빠르게 확산된다. 이것이 순식간에 기업을 위기로 몰아넣을 수도 있음을 경고하고 있다. 따라서 '기업 평판 리스크 관리전략'을 만들어 기업에 대한 사회적 평판을 관리해 나갈 것을 주문하고 있다.

CEO들은 네트워크 세계에서의 혁신을 위해 '네트워크 경제'에서 번창하고 있는 조직들의 특징을 분석하고, 네트워크 경제를 고려한 비즈니스 모델을 찾아내야 한다.

또한 CEO들은 지구촌 차원에서 다양한 문화적 배경을 가진 미래 인재를 키우고 확보할 혁신적인 전략을 채택해야 한다. 또한 기로에 놓인 세계화의 흐름 속에서 경제적 통합이 뒤처지는 것을 막기 위해 세계적인 제도 혁신과 정치적 조치가 뒤따를 수 있도록 주도적인 역할을 해야 한다.

다보스포럼이 CEO에게 던진 의제

[의제]	'네트워크 경제' 승자 전략 세우기
[전략]	△ 협력적 혁신 방안 수립 △ 미래 인재 육성과 발굴 △ 기업 평판(Reputation) 관리 △ 세계화 위한 제도 개혁 주도 △ 경쟁우위 에너지 전략 수립

CEO들은 네트워크 경제에서 번창하고 있는 조직의 특성을 분석해내야 한다.

에너지 전략이 기업의 미래 경쟁우위를 결정한다. CEO들은 에너지 가격 변동, 이산화탄소 방출 규제 등에 대한 전략을 만들어 체계적으로 실행해야 한다.

3

소비자의 변덕과 파워

어떤 소비자가 파워세력으로 등장할까? 소비자의 마음은 언제 바뀌게 될까? 기업에게는 소비자의 마음을 읽어내는 혜안이 필요하다. 나아가 소비자가 참여할 수 있는 시장을 창조해낼 능력을 갖춰야 한다.
시장을 만들어 소비자를 유혹하는 재주가 있어야 새로운 산업의 리더가 될 수 있다. 결국 기업은 소비자의 변덕과 파워를 주목하지 않으면 안 된다.

결정의 순간 세 가지를 떠올려라

어떤 고객의 파워가 커졌나? 새롭게 등장하는 고객은 누구인가? 다양한 이해관계자의 파워를 고려했는가?

다보스포럼은 CEO가 의사결정의 순간에 이와 같은 세 가지 포인트를 떠올릴 것을 권고하고 있다. '힘의 이동 시대'를 맞아 기업 최고경영자(CEO)들은 어떻게 해야 최선의 의사결정을 내릴 수 있을까?

'힘의 이동 시대'에 CEO들은 의사결정을 내릴 때 어떤 소비자의 파워가 커지고 있는지, 신흥시장에 등장하는 신규 구매 세력은

"향후 10년 안에 중국과 인도 등 신흥시장에서 수십억 신규 고객이 생겨날 것이다."

무흐타르 켄트, 코카콜라 최고운영책임자(COO)

누구인지, 사회적 책임을 다하고 있는지 등의 3요소를 기초로 해야 한다고 권고하고 있다.

고객 파워의 핵심을 알아야

CEO가 의사결정 시 고려해야 할 첫 번째는 '증가하는 고객 파워'다. 데크란 커리 영국 BBC 뉴스 앵커는 "어떤 고객의 파워가 증가하고 있는지 이해하는 게 가장 중요하고, 그 다음이 새롭게 등장하는 고객을 확보하는 것"이라고 조언한다.

무흐타르 켄트 코카콜라 최고운영책임자(COO)는 "향후 10년 안에 중국과 인도 등 신흥시장에서 수십억 신규 고객이 시장으로 진입하는 거대한 힘의 이동이 일어난다"며 "CEO는 이 같은 고객을 잡을 수 있어야 한다"고 강조한다. 신흥시장의 신규 고객을 선점할 수 있는 전략을 지금 당장 세우라는 주문이다.

그는 "이 같은 고객 증가는 인구 증가 때문이 아니라 소비자의 부가 증가한 데 따른 것으로, CEO는 이들의 기호와 선호도, 이해관계까지 고려해 의사결정을 내려야 한다"고 조언한다. 나아가 고객의 불만이나 우려사항까지 이해할 것을 주문한다.

새로운 고객에게 접근할 수 있는 제품 개발, 비즈니스 모델이 개발돼야 하고 나아가 회사를 둘러싼 많은 이해관계자, 즉 주주, 고객, 시민단체 등 모두를 고려한 전략 개발이 필요하다. 또한 고객들의 불만과 우려 사항을 제대로 파악하고 대처할 수 있어야 한다고 분석한다.

이해관계자와 호흡할 수 있어야

특히 다보스포럼은 '힘의 이동 시대'에는 CEO들이 과거보다 더욱 다양한 이슈를 고려할 필요가 있다는 점을 강조한다.

라케시 쿠라나 하버드대 경영대학원 교수는 "CEO들이 직면한 가장 큰 도전은 사회와 공존할 수 있는 기업의 정당성을 어떻게 확보하느냐가 될 것"이라며 "많은 기업들이 지역사회에서 독립된 것처럼 행동하고 있다"고 지적한다.

그는 "하지만 그러한 행동 때문에 사회적 신뢰를 잃을 수 있다"고 경고한다. 커뮤니티와 사회를 고려하지 않고 독단적으로 행동하면 기업에 문제가 발생했을 때 심각한 타격을 입게 된다는 것이다.

쿠라나 교수는 "따라서 CEO는 기업 경영을 다수 이해관계자들을 고려해 장기적 관점에서 추진해야 한다"고 강조한다. 그만큼 사회책임경영, 지속가능경영의 중요성을 강조하고 있다.

이와 관련해 토머스 스튜어트 하버드비즈니스리뷰 편집장도 "기업 내부와 외부로 연결된 권력관계가 빠르게 변화하고 있다"고 진단한다. 소수 주주, 시민단체, 언론과 같은 외부의 권력기관에서 신뢰관계를 잃었을 때 기업은 쉽게 평판을 잃을 수 있다는 것이다.

그는 "CEO 연봉이 빠르게 증가하는 것은 실질적으로 CEO 권력이 한층 강해졌음을 의미하는 대목"이라고 언급한다. 스타 CEO를 영입하기 위해 기업들이 막대한 돈을 투입하고 이에 따라 능력 있는 경영자의 몸값이 치솟는 현실이 결과적으로 CEO 권위를 높여준다는 주장이다.

스튜어트 편집장은 "기술과 네트워크의 발달은 이해관계자의 힘을 키우고 기업의 책임을 외부지향적으로 만들고 있다"며 "유능한 CEO를 놓고 임금과 인재 사이에 전쟁이 벌어지고 있다"고 말한다.

하지만 뒤에서 논의하겠지만 현재의 수평적 권력관계의 확산을 고려할 때 '제왕형 CEO'에 대한 반론은 매우 거세다. 그는 이어 "소액 주주도 인터넷을 비롯한 신기술을 통해 서로 교류가 가능해 그 권력이 강화되고 있다"고 덧붙였다. 또한 "고객과 하도급 업체, 시민운동가 사이에 새로운 연결고리가 생겼다"며 "기업의 사회적 책임이 더욱 외부 지향적으로 확산되고 있다"고 강조한다.

지식활용 프로세스 개발해야

CEO가 직면한 가장 중요한 문제는 협력을 위한 기회를 창조하고, 유지하며, 확대시키는 것이라는 주장이 설득력을 얻고 있다.

크리스토벌 콘데 선가드데이터시스템 CEO는 "네트워크 경제에서 최고경영자는 더 이상 전지전능한 우주의 지배자가 아니다"라고 단언한다. "따라서 최고경영자는 최고 정보와 전문지식을 사용할 수 있는 프로세스를 만들어 회사 내 창조적 협력시스템을 만들어야 한다"고 강조한다.

다보스포럼의 글로벌 리더들은 중역들의 파워 증가 가능성에 대해 의문을 표시한다. CEO는 '절대 군주'라기보다는 '총리형 CEO' 국민으로부터 권한을 위임받은 총리처럼 법률이 정한 범위 내에서 권한행사를 해야 한다는 것이다.

후베르투스 히임스커크 네덜란드 라보은행 회장은 "기술이 발전하고 정보가 광범위하게 공유되면서 소비자의 권한이 증대되었고, CEO의 궁극적인 역할은 직원과 투자자들 앞에 나서서 지도력을 발휘하는 것"이라며 리더십의 중요성을 강조한다.

재력 갖춘 소비세력 '싱글족'이 몰려 온다

현대는 인터넷과 같은 정보통신기술에 의해 사회가 거미줄처럼 연결되어 있다. 속성(Identity)이 같은 사람끼리 뭉쳐 새로운 '힘의 방정식'이 만들어지고 있다. 웹2.0이 지배하는 네트워크 사회가 커다란 공동체를 형성하고 있는 반면 사회를 구성하는 개개인의 파워 싱글족의 파워가 거세지고 있다.

전 세계적으로 출산율이 급감하면서 고령화로 인해 발생할 막대한 사회적 비용이 국가의 미래를 어둡게 하고 있다. 다보스포럼은 기업들이 새로운 소비 세력으로 떠오른 '싱글족 시장'에 주목하라고 권고한다. 결혼하지 않은 20~30대 독신경제를 뜻하는 싱글경제가 갈수록 커지고 있기 때문이다. 싱글족이 새로운 소비 세력으로 등장해 소비 트렌드를 좌우하기까지 한다.

게리 뉴섬 전 샌프란시스코 시장은 "샌프란시스코 유권자 중 53%가 여성이며, 특히 자녀가 없는 주부의 비중이 크게 높아지고 있다"며 재력을 갖춘 20~30대 전문직 여성의 왕성한 소비에 주목하라고 조언한다.

그는 이어 "출생 신고 건수가 개 등록률보다 낮아지고 있는 게 엄연한 현실"이라며 미국의 독신물결과 무자녀 가족의 증가 현상에 대해 말한다.

미국 최대 가전유통업체 '베스트바이(BEST BUY)'의 브래드 앤더슨 부회장 겸 사장은 "자녀가 없는 젊은 주부가 독신여성보다 왕성한 소비성향을 보이므로 이에 주목해야 한다"고 조언한다. 자녀가 없는 젊은 주부가 소비패턴을 결정하는 핵심으로 등장하고 있다는 주장이다.

그는 "매장을 찾은 독신여성, 자녀가 있는 젊은 주부, 자녀가 없는 젊은 주부 등 세 그룹의 소비행태를 분석한 결과, 자녀가 없는 주부의 매출기여도가 가장 높은 것으로 나타났다"며 근거를 제시한다.

앤더슨 사장은 이어 "강력한 소비주체로 떠오른 이들을 주 타깃으로 매장 상품구성은 물론 사원서비스 교육 등 모든 기업전략을 재구성하는 것이 중요하다"고 조언한다. 아리아나 허핑톤 허핑톤 포스트닷컴 편집장은 "독신여성의 선거 투표율이 갈수록 낮아지고 있고, 이런 상황은 크게 달라지지 않을 것"이라며 "정당들이 선거에 이기기 위해서 이들의 관심을 어떻게 끌어내느냐가 핵심 전략으로 등장하고 있다"는 주장을 내놓고 있다.

특히 최근 급증하고 있는 한국의 '싱글족 신드롬'이 다보스포럼에서 주목을 받고 있다. 김미형 아시아나항공 부사장은 "한국의 경우 교육비 부담과 열악한 보육지원 시스템 탓에 여성들이 결혼을 피하고 결국 출산율도 낮아지고 있다"며 "일본에서 10년 전 급증했던 '기생(Parasite)싱글(부모에 의존해서 사는 독신)'과 비슷한 사회현상"이라고 설명한다.

40억 명의 금융소외자가 부상한다

부상하는 40억 명의 금융소외자(The Unbanked)를 잡아라.

디지털 전도사로 불리는 니콜라스 네그로폰테 미국 MIT 교수가 "40억 명에 달하는 지구촌의 금융소외자가 '잠재 시장'으로 떠오르고 있다"며 잠자고 있는 금융소비자의 잠재력에 관심을 가져야

“
저소득층이 저렴한 비용으로
금융시장에 접근할 수 있도록
제도 혁신이 필요하다.
”

멜린다 게이츠, 빌&멜린다게이츠재단 회장

한다고 조언한다.

빌&멜린다게이츠재단* 회장이자 빌 게이츠의 부인인 멜린다 게이츠는 “사람을 빈곤으로부터 해방시키는 것이 질병으로부터의 구제와 함께 재단의 중요한 역할이다”라고 말한다.

그는 금융 소외자들의 부양능력을 키우고 그들 삶의 질을 높이려면 위험을 피할 수 있는 보험 상품, 이용하기 편리한 금융서비스 모델, 자본시장에 접근할 수 있는 펀드, 정부의 정책적 뒷받침이 필요하다고 강조한다.

멜린다는 “15년 안에 3억 2,000만 명 정도가 은행계좌를 갖게 된다면 성공적”이라며 “저소득층이 저렴한 비용으로 금융시장에 접근할 수 있도록 제도혁신이 필요하다”고 지적한다.

네그로폰테 교수는 “높은 대출이자와 거래비용이 제약조건이 되고 있다”며 “거래비용을 낮출 수 있는 새로운 비즈니스 모델이 필요하다”고 지적한다. 신용이 없는 빈곤층에 대한 대출제도의 혁신과 다른 형태의 담보제도가 요구된다는 판단이다. 이에 따라 마이크로파이낸스(Microfinance)도 주목을 받고 있다.

마이크로파이낸스는 소득, 금융 서비스, 소외계층을 위한 소액금융 서비스를 말한다. 이는 신용 미달로 일반은행에서는 대출을 받을 수 없는 가난한 나라의 빈곤층에게 소액의 돈을 빌려줘 자립을 지원하는 소액금융업이다.

마이크로파이낸스의 개념은 1976년 방글라데시 그라민 은행을 설립한 무하마드 유누스(2006년 노벨평화상 수상)로부터 나왔다. 낮은 연체율로 대부분의 마이크로파이낸스 업체들이 높은 수익을 내고 있다.

다보스포럼은 마이크로파이낸스 기관들이 은행이나 상장사의 형태로 발전할 만큼 규모의 성장을 할 수 있을지에 대해 의문을 표시하면서 제도적 제약을 걸림돌로 지적한다. 동시에 빈곤층을 겨냥한 기술의 진화와 중앙은행의 이해가 선행됐을 때 제대로 된 변화가 예상된다고 분석하고 있다.

빌&멜린다게이츠재단

2000년 MS창업자인 빌 게이츠와 그의 부인 멜린다 게이츠가 설립한 세계 최대 자선재단. 세계 최고의 투자전문가 워렌 버핏이 2006년 자기 재산의 86%인 360억 달러를 기부하면서 운영기금이 배로 늘었다.
질병퇴치, 빈곤구제, 교육확대, 정보통신 혜택 증진 등을 추진하고 있다.

Ⅳ 힘의 이동 - 기술 세계와 사회 현장에선

"멕시코와 미국 간에 장벽이 있어야만 하는가?
멕시코에는 노동력이 있고, 미국에는 자본이 있다.
이 두 나라의 자산은 쌍방향으로 흘러야 한다."

펠리페 칼데론, 멕시코 대통령
미국과 멕시코 경계에 장벽을 확대하는 법안에 반대하며.

"종이는 여전히 광고하기에 좋은 매체고,
온라인 광고가 신문광고를 대체하려면 시간이 걸릴 것이다."

래리 페이지, 구글 공동창업자
신문이 인터넷 시대에도 살아남을 것이고 신문의 미래는 밝다며.

1

위세당당 웹2.0시대의 개인들

기관, 집단의 힘은 줄고 개인들의 파워가 위세당당해지고 있다. 다보스포럼은 웹2.0시대에 파워의 중심이 개인에게로 이동한다고 진단한다.
왜 이 같은 진단이 나왔을까? 바로 웹2.0이 개인들에게 힘을 실어주고 있기 때문이다. 익명의 다수 개인들이 모여 파워를 만들어낸다. 댓글, 인터넷 카페, 블로거, 홈피 등을 통해 분출되는 집단 여론은 개인이 파워의 주역인 시대에 살고 있음을 보여준다.

아바타 '투표권 달라' 시위

다보스포럼은 2000년 연차총회를 통해 마크 워너 미국 버지니아 주지사의 인터뷰를 선보였다. 인터뷰는 가상현실세계인 '세컨드 라이프(Second Life)' 사이트에서 열렸다. 마크 워너의 아바타와 일반 이용자들의 아바타가 가상공간에서 마주하는 형식의 인터뷰였다. 일반 대중과 주지사와의 인터뷰가 현실세계에서 실현되기는 다소 힘들겠지만 사이버 세상에선 쉽게 이뤄진다.

인터뷰 시간이 되자 많은 아바타들이 인터뷰 룸에 모여 주지사와의 대화를 기다리고 있었다. 그런데 막상 인터뷰 시간이 되자 홍

미로운 사건이 발생했다. 유니폼을 똑같이 맞춰 입은 아바타들이 순식간에 단상을 점령해 인터뷰를 중단시킨 것이다. 이들은 피켓을 들고 인터뷰 룸에 자리한 다른 아바타들에게 연설을 하기 시작했다. "아바타에게도 아바타의 권리를 달라!"

아바타들이 다보스포럼이 진행한 여러 인터뷰 가운데 정치인인 주지사와의 인터뷰 시간에 이 같은 '가상현실 시위'를 벌인 데는 특별한 이유가 있었다. 시위대들이 "아바타에게도 투표권을 달라"고 요구했기 때문이다.

투표권을 달라는 주장은 얼핏 보면 어처구니없어 보이지만 네트워크시대의 현실이며 네티즌 파워의 상징이다. 아바타들은 가상현실세계인 세컨드라이프에서 날아다닐 수도 있고, 성(性)을 바꿀 수도 있다. 가상현실세계에서는 모든 일을 다 할 수 있지만, 오직 투표권만은 부여되지 않았다고 불평한다. 이 때문에 가상세계 아바

투표권을 달라며 시위하는 아바타

현실세계와 전혀 다른 '제2의 삶'이 열리고 있다. 자신의 삶을 대신할 아바타를 통해 성(性)을 바꿀 수도 있고, 하늘을 날아다닐 수도 있다. 이제 아바타들은 투표할 수 있는 권리까지 요구하고 나섰다.

타들이 현실세계(Real Life)의 정치인들을 대상으로 세컨드라이프의 민주화를 위해 도와 달라고 요구하고 있다.

스스로를 '세컨드라이프 해방군(The Second Life Liberation Army)'이라 일컫는 이들은 현재 운영자가 맡고 있는 세컨드라이프의 지도자를 투표로 뽑을 수 있게 해야 한다고 주장하고 있다.

이들 해방군은 인터넷의 중앙집권에 도전하는 하나의 상징적인 움직임이다. 또한 세컨드라이프에서 운영자가 쥐고 있는 권력을 이용자 개개인들에게 나눠줘야 한다는 의지의 표현이다.

세계는 하나의 네트워크로 연결돼 있고 웹2.0은 네트워크 이용자 개인이 네트워크에 자신들의 의견을 표현할 수 있는 범위를 넓혔다. 개인의 힘은 더 강해지고 있으며, 이와 같은 힘의 이동은 네트워크시대의 자연스러운 현상이 되고 있다.

가상과 현실을 넘나드는 개인의 파괴력

인터넷 이용자 수는 전 세계적으로 10억 8,000만 명(2006년 기준, 미국 Computer Industry Almanac)이며, 2010년 18억 명에 이를 전망이다. 인터넷 이용자 수가 증가할수록 개인의 파워는 더욱 거세질 전망이다.

이들은 마음만 먹으면 즉각적으로 거대한 네트워크에 접속할 수 있다. 과연 닷컴 기업들이나 현실세계의 기업 웹사이트가 이들을 통제할 수 있을 것인가? 전 세계가 네트워크로 통합된 지금, 정부와 기업을 비롯한 그 어떤 집단도 이들 개개인을 통제할 수 없다.

이들은 이미 세계에서 가장 강력한 '권력 집단'으로 군림하고 있기 때문이다. 또한 현실 여론의 대변자이기도 하다. 가상세계에서 힘을 얻은 '집단 여론'이 현실세계를 바꿔놓기까지 한다.

미국 최대 사진공유사이트 플리커(www.flickr.com)의 창업자 카테리나 페이크는 다보스포럼에서 웹2.0을 '풀뿌리로의 복귀(A return to the roots of Web)'라고 정의했다. 인터넷을 사용하는 모든 개개인들에게 인터넷 주권이 주어졌다는 것이다.

불과 몇 년 전만 하더라도 인터넷 상에서 자신을 드러내려면 인터넷 언어인 HTML과 복잡한 프로그램을 배워야만 했다. 그렇지만 기술의 발전으로 웹2.0시대에는 콘텐츠를 만드는 방법이 쉬워지고 표현할 수 있는 곳도 다양해졌다.

동영상 UCC(사용자 제작 콘텐츠)* 사이트인 유튜브처럼 모든 개개인이 아무런 장애 없이 자유롭게 인터넷에 콘텐츠를 올릴 수 있다. 이를 두고 페이크는 "이용자들이 인터넷의 진짜 주인이 됐다"고 말한다. 가상세계의 파워는 익명의 개인들이 만들어내고 있다는 의미다. 나아가 웹2.0기술이 기관이 갖고 있던 파워를 결과적으로 개개인에게 나누어줬음을 의미한다.

웹1.0시대에는 닷컴기업과 전자상거래 기업들이 인터넷을 차지하고 있었다. 그러나 웹2.0시대에는 유튜브와 같은 UCC 사이트나 싸이월드, 마이스페이스와 같은 소셜 네트워크 서비스(SNS, Social Network Service) 사이트가 인터넷을 주름 잡고 있다.

이들 사이트는 개인이 직접 사이트를 꾸미고 콘텐츠를 만들어낸다는 공통점을 지니고 있다. 네트워크 기술의 발전은 인터넷에서 힘의 중심을 이용자 개인에게 기울어지도록 만들었다.

최근 전 세계에서 선풍적인 인기를 끌고 있는 세컨드라이프는 온라인 게임의 일종이지만 이용자가 직접 만들어가는 가상세계로 정의하는 편이 옳을 것이다. 운영자는 가상의 공간만을 제공할 뿐 개개인이 '알아서' 자유롭게 즐긴다.

세컨드라이프에서는 아바타끼리 결혼도 하고, 건물도 짓고, 돈도 벌 수 있다. 안시 청이라는 아바타를 사용하는 아일린 그라프는 가상세계에서 '가상의' 부동산을 팔아 실제 세계에서 백만장자가 됐다.

이용자 수가 폭발적으로 증가하고 있는 세컨드라이프의 성공 비결 역시 개인이 아바타를 통해 마음대로 가상세계를 만들 수 있도록 자유롭게 방임했다는 점에 있다. 그 결과 아바타의 권리를 주장하는 움직임까지 등장했고, 이는 인터넷에서 개인의 힘이 날로 증대되고 있음을 보여준다.

UCC(User Created Contents)

UCC란 사용자 제작 콘텐츠의 줄임말로 인터넷 이용자들이 무노동, 무보수, 즉 프로슈머(생산자이자 동시에 소비자인 상태)로 창출해낸 콘텐츠를 말한다. 전문가와 아마추어로 구성된 다수의 이용자들이 정보를 생산 · 유통 · 공유함으로써 특정 분야에 엄청난 양의 지식을 만들어내고 있다.

카페, 블로그, 미니홈피, 게시판 등에 올라온 정보들이 UCC의 대표적인 사례라 할 수 있다. 텍스트 중심이었던 UCC는 이제 디지털카메라 등 IT(정보기술)의 발달에 힘입어 사진, 동영상, 음악 등의 멀티미디어 콘텐츠로 발전하고 있다. 특히 동영상 UCC는 진정한 1인 미디어 시대를 여는 기폭제가 되고 있다.

뉴욕타임즈의 수석 기자 존 마코프는 다보스포럼에서 웹2.0을 '인터넷의 레고 시대'라고 정의한다. 장난감 레고가 작은 블럭들의 연결로 하나의 완성품이 되었듯이 웹2.0시대도 개인들의 콘텐츠가 모여 웹을 이루게 됐다는 것이다.

더 이상 웹은 기관에 의해 운영되지 않는다. 이제 개인의 가치를 인정하지 않으면 네트워크에서의 비즈니스가 불가능한 시대가 왔다. 현실로 다가온 개인의 시대, 과연 세계는 어떻게 변하고 있는가?

세계 소셜 네트워크 서비스(SNS) 이용자 추이

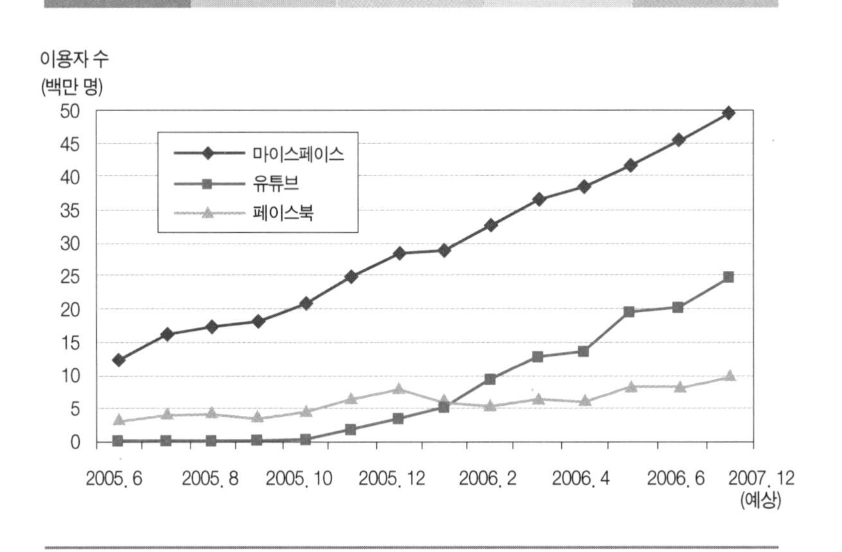

Source: ITU

네크워크 사회를 건설하는 개인들

웹2.0의 발전은 사람 간의 관계를 네트워크로 연결하고 있다. 이른바 소셜 네트워크 서비스(Social Network Service)*가 광대역 통신망의 주역으로 부상하고 있다. 소셜 네트워크는 '인맥 구축', '사회 연결망', '지인 네트워크' 등의 형태로 인터넷이 거대한 인맥사이트로 발전하고 있다.

싸이월드가 소셜 네트워크 서비스의 대표적인 예이다. 싸이월드는 이용자들이 교류하고, 간단한 방법으로 집을 장식할 수 있는 미니홈피다. 사용자의 역할을 대신하는 애니메이션 캐릭터, 아바타를 통해 또 다른 삶, 즉 세컨드라이프의 주인공이 될 수 있다.

싸이월드의 회원 수는 무려 1,900만 명에 달한다. 회원들은 '일촌'을 맺어 커뮤니티를 형성하고 있다. 사이버머니인 도토리를 주고 미니홈피를 장식할 아이템이나 음악파일을 구입하는 등 상거래도 활발하게 이뤄진다.

이해관계가 비슷한 개개인들이 가상세계에서 '네트워크 사회',

소셜 네트워크 서비스(SNS, Social Network Service)

이용자들이 새로운 인간관계를 맺거나 기존 인간관계를 연장하며 네트워크에서 활동하는 커뮤니티형 웹사이트를 말한다. 이용자 개인이 직접 자신의 개성으로 포장한 블로그를 운영하며 타인들에게 공개하기도 한다. 실제 생활에서는 인간관계를 맺지 못한 이용자들이 네트워크 상에서 친분관계를 맺고 실제 생활에서도 긴밀한 관계를 유지하는 경우도 있다.
한국의 싸이월드나 카페, 블로그 등을 예로 들 수 있다. 미국의 마이스페이스와 페이스북, 일본의 믹시 등이 잘 알려져 있다.

즉 연결망 사회를 만들어가고 있다. 아바타들이 만드는 '네트워크 사회'는 현실세계와는 전혀 다르다. 쉽게 뭉쳤다가 흩어지기도 하고 난공불락의 커뮤니티를 만들어내기도 한다.

연결망 사회의 가장 큰 특징은 사용자가 콘텐츠를 생산하는 주역이 된다는 점이다. 이제 개인이 정보의 생산, 가공, 유통까지 참여하는 강력한 파워집단이 되고 있다. 이는 콘텐츠의 유통 패러다임을 완전히 바꿔놓고 있다.

유현오 SK커뮤니케이션즈 사장은 "이용자 간 네트워킹을 통해 발현하는 미디어의 파워는 이미 새로운 미디어 시장의 구도를 만들어가고 있다"며 "이용자들이 기존 매스 미디어의 콘텐츠 가치를 재생산하는 재가공과 생산자 역할을 하고 있다"고 말한다.

이 같은 개인의 역할 변화, UCC의 확산은 전통 미디어가 주목해야 할 분야다. 왜냐하면 새로운 비즈니스 모델의 구축과 UCC의 선순환을 위해 전통 미디어와 뉴 미디어가 새로운 협력관계를 만들어가야 하기 때문이다. 특히 저작권 문제가 새로운 과제로 급부상하고 있다.

셸리 라자러스 오길비앤드마더 회장은 "UCC가 돈을 받고 거래되고 있다는 사실은 소유권 문제를 야기한다"며 "사용자들이 만들어낸 콘텐츠에 저작권을 부여하는 것은 거대 이슈가 될 것"이라고 전망한다.

이에 대해 유튜브 창업자인 채드 헐리는 "광고 수입 중 일부를 유튜브에 동영상을 올리는 사람에게 나눠주는 수입 공유 매커니즘을 만들고 있다"고 말한다. 이것이 UCC 영상물이 하나의 저작권으로 인정되는 계기가 될 전망이다.

비즈니스의 표적이 되는 개인들

가상의 사이버 공간에서 재미있는 경제활동을 하면서 돈도 벌어들이는 '사이버 비즈니스'가 급팽창하고 있다. 마이스페이스, 베보, 유튜브, 싸이월드, 세컨드라이프 등은 소셜 네트워크 서비스를 활용해 부를 창출해내는 대표적인 웹사이트다.

미국 벤처기업 린든랩이 창안한 가상공간 '세컨드라이프'는 실제보다 다양하고 다이내믹한 경제활동을 가능하게 하는 프로그램이다. 이곳에서 큰 돈을 버는 사람들이 속속 탄생하고 있다.

세컨드라이프에서는 자신의 아바타가 이용할 집을 사고 물건을 만들어 파는 등의 경제활동이 근본적인 토대를 이루고 있다. 사이버 활동으로 번 돈을 실제 미국 달러화로 환전해주기 때문에 현실과 구분 짓기 어려울 정도다.

세컨드라이프에서는 유명 가수가 사이버 공연을 열고 정치인이 기자회견을 열 수도 있다. 기업인들은 현실세계에서의 시행착오를 줄이기 위해 UCC와 네티즌들의 목소리에 주목할 필요가 있다.

세계적인 광고회사인 오길비앤드마더는 도브(www.dove.com) 사이트를 개설해 사용자와 회사업무에 대해 소통하고 있다. 이 회사 회장인 셸리 라자러스는 "몇 년 전 성공적인 회사의 브랜드 포지셔닝을 찾아내기 위해 아름다움의 개념을 사용자들과 사이트를 통해 토론했다"며 "이를 통해 얻어진 사용자들의 광고 실행 안은 놀랄 만큼 성공적이었다"고 귀뜸한다.

현재 도브 웹사이트는 여성들의 만남의 장소가 되고 있다.

라자러스는 "사용자가 만들어낸 콘텐츠는 회사가 추구하는 분야에 대해 핵심가치를 정의 내리고 공통의 이해를 찾아내는 데 있어 중요한 기회를 제공한다"며 "기업의 텔레비전 광고나 메시지를 제안하는 수단으로 발전하고 있다"고 말한다.

유현오 SK커뮤니케이션즈 사장도 "과거보다 개인화 · 맞춤화하는 현대의 제품 생산과 소비성향을 고려할 때 인터넷과 같이 개인화된 미디어를 통해 제품 광고와 마케팅이 발전하는 것은 매우 자연스러운 현상"이라고 진단한다.

그는 "UCC를 통해 정보와 광고의 생산과 유통 비용이 낮아지고 있다"며 "여기에서 발생하는 새로운 잉여가치는 이용자와의 수익 공유 모델로 발전해야 할 것"이라고 말한다. 전통적인 기업들이 이러한 현상과 사용자들을 활용하는 데 실패하고 있다는 점은 안타까운 일이다. 기업들은 실패를 줄이기 위해 인터넷을 떠도는 수많은 네티즌들의 파워를 적극 활용할 필요가 있다.

비즈니스 모델을 바꾸는 웹2.0 소비자들

나이키는 지난 2000년부터 소비자들이 직접 신발을 디자인하는 서비스를 도입했다. 소비자들이 인터넷에 접속해 신발을 디자인해 주문하고 배달받는 컨셉이다. 인터넷 언어인 HTML로 제작한 초기 사이트는 소비자들이 이용하기에 다소 까다로운 방식이었다. 이 때문에 소비자들이 '나만의 신발'을 가지려면 쉽지 않은 절차를

소비자가 직접 디자인하는 나이키 ID 사이트

나이키는 소비자들이 원하는 신발을 직접 디자인해 신을 수 있도록 사이트를 혁신했다.

거쳐야 했다. 그래서 이용자 수도 그다지 많지 않았다.

그러나 사이트 개편을 거듭하면서 모든 사이트를 플래시(Flash, 애니메이션과 웹 제작 도구)로 만든 사이트를 열었다. 제작 초기 사이트와 비교하면 혁신적으로 쉬운 방식이었다. 이를 통해 신발 밑창 소재부터 색깔, 디자인까지 클릭 한 번으로 마음대로 고를 수 있다.

결과물 역시 클릭만 하면 안방으로 배달해준다. 기술의 발전이 소비자 개인의 참여를 보다 쉽게 이끌어 낸 것이다. 나이키의 웹사이트 발전 과정에서 웹2.0시대의 한 단면을 엿볼 수 있다. 소비자들은 저마다 나이키 ID(nikeid.nike.com) 사이트에 들어가 자신만의 신발을 제작하기 시작했다.

웹1.0시대에는 전자상거래로 실제 매장에 전시돼 있는 나이키 신발을 주문하고 배달받을 수 있었다. 공간적인 한계를 넘어선 것에 웹1.0의 의미가 있었다. 그러던 중 웹2.0시대가 열리자 혁명적인 변화가 생겼다. 앨빈 토플러가 말한 것처럼 소비자가 프로슈머(Prosumer)로 활동하기 시작한 것이다. 이용자들은 자신이 원하는 나이키 신발에 대한 디자인 콘텐츠를 직접 제시하기 시작했다.

디자이너만이 할 수 있었던 일을 소비자도 하게 된 것이다. 마크 파커 나이키 CEO는 "웹의 발전은 곧 소비자들에게로 힘이 이동하고 있음을 시사한다"고 말한다. 그는 "웹2.0을 받아들이지 않는 기업은 이미 위험에 빠져 있는 것이다"라고 경고의 메시지를 날린다.

구글이 16억 5,000만 달러에 유튜브를 인수한 이유도 웹2.0시대에 살아남기 위한 전략 중 하나라고 할 수 있다. 구글은 대표적인 닷컴기업이다. 검색엔진으로 시작한 구글은 다양한 방향으로 인터넷 사업을 벌이며 포털사이트의 새로운 전형을 만들어 내고 있다.

기존 포털의 이용자 수를 넘보는 소셜 네트워크 서비스(SNS)

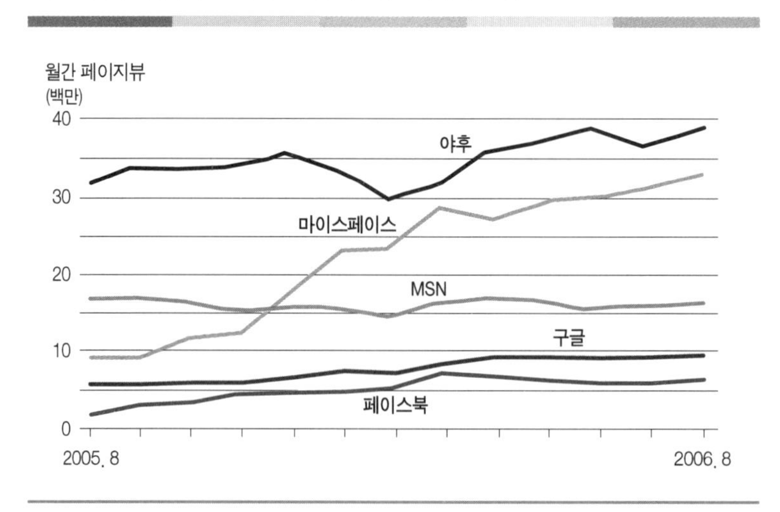

Source : WEF, comScore, Bear Streams, eMarketer, News Corp, Bain analysis

구글은 2006년 다보스포럼에서 구글라이제이션(Googlization, 구글의 세계화)으로 조명을 받았지만 2007년엔 그다지 큰 관심을 끌지 못했다. 이용자들이 쉽게 활용할 수 있는 사이트는 구축했지만, 이용자들이 직접 참여할 수 있는 공간을 확보하지는 못했기 때문이다.

그런 구글이 유튜브의 인수로 웹2.0시대의 주목받는 기업으로 다시 떠올랐다. 유튜브는 전통적인 닷컴기업이 지니지 못한 이용자만의 공간을 확보하고 있다. 구글은 유튜브를 활용해 웹2.0시대에 적응하고, 한 단계 도약할 수 있는 동력을 만들 계획이다. 이처럼 구글의 유튜브 인수는 전통적인 닷컴기업들이 지닌 위기의식을 그대로 보여주는 사례로 볼 수 있다.

야후는 사진인화사이트 플리커를 인수했다. 플리커 역시 이용자들이 사진을 올리고 인화하는 웹2.0사이트로 꼽힌다. 이처럼 기업들 간에 이용자들의 공간을 확보하는 경쟁이 치열하다.

유튜브의 창업자 채드 헐리는 다보스포럼에서 유튜브에 동영상을 올리는 이용자에게 보상금을 주겠다고 밝혔다. 지금까지 운영자에게만 집중됐던 광고비 등의 수익을 개인에게 돌려준다는 의미다.

개인들에게 수익을 나눠주는 모형은 말 그대로 네트워크로의 '힘의 이동'을 상징한다. 결과적으로 네트워크시대에 살아남기 위해 개인들이 지닌 힘을 인정한 셈이다.

그렇다면 웹3.0시대는 어떤 모습일까? 존 마코프 뉴욕타임즈 수석 기자는 인터넷 이용에 또 하나의 혁신을 가져올 웹3.0시대의 키

“
앞으로 10년간 웹3.0과
비슷한 용어가
네 개는 더 출현할 것!
”

빌 게이츠, 마이크로소프트 회장

워드를 '데이터 활용'에서 찾았다. 그는 "인터넷은 카탈로그처럼 정보를 나열하는 데서 벗어나 쉽게 정보를 활용할 수 있는 가이드의 역할을 맡게 될 것"이라고 전망하고 있다. 현재 엄청나게 축적된 정보를 어떻게 활용할 것인가가 웹3.0시대의 관건이라는 의미다.

빌 게이츠 마이크로소프트 회장은 "앞으로 10년 동안 웹3.0과 비슷한 용어가 네 개는 더 출현해 세상을 바꿔놓을 것"이라고 전망한다.

세계가 이해 못하는 한국의 웹3.0

인터넷 분야에 있어 한국은 세계의 유행을 선도한다. 그러나 너무 빨리 앞서나가고 있다. 앞서 열거한 대부분의 인터넷 서비스들은 이미 한국에서는 수년 전부터 등장했고 또한 사라져 갔다. 유튜브보다 앞서 서비스가 시작된 동영상 UCC 사이트 '판도라(www.pandora.tv)'는 유튜브가 각광받고 나서야 주목받기 시작했다.

세컨드라이프보다 앞서 비슷한 모델을 개발해 2000년부터 서비스를 시작한 '다다월드(www.dadaworlds.com)'는 닷컴버블이 꺼지면서 투자가 끊겼다. 마이스페이스도 싸이월드의 뒤를 이은 것이다.

한국이 인터넷 분야를 선도하는 국가임은 분명하나 이를 경제활동으로 인정하는 데에는 아직 인색한 실정이다. 언어의 한계도 있고 시장이 작은 탓도 있다. 하지만 그대로 체념하기에는 그동안 너무도 많은 아이디어들을 놓쳐 왔다. 이제는 대안을 모색해야 할 때가 아닐까?

적어도 한국은 오래 전부터 웹2.0시대에 있었던 게 사실이다. 이제부터라도 시장 상황을 정확히 이해하고 시야를 넓혀 세계무대로 나가는 전략이 필요하다.

웹2.0 힘의 실체는 무엇인가?

다보스포럼이 진단했듯 웹2.0시대에는 뚜렷하게 개인에게로 힘이 이동한다. 그렇다면 그러한 개인은 누구인가? 실존하는 개인이라 볼 수도 있겠지만 사이버 상에 존재하는 또 다른 개인이 될 수도 있다.

일반적인 블로그에서부터 세컨드라이프와 같은 3D 가상현실에 이르기까지, 이용자 개인의 정체성은 아직도 정립되지 않은 단계

아바타는 개인의 상징물이다.
그렇지만 현실세계의 나와
전혀 다른 존재로
살아갈 수 있다.

다. 사이버 공간의 익명성이 그 원인이라 할 수 있다.

다보스포럼은 사이버 공간의 익명성에 대해 별 다른 결론을 내리지 못하고 있다. 아바타는 롤플레잉(Role-playing, 역할연기) 게임이나 여타 인터넷 사이트에서 자신의 정체성을 드러내는 도구로 활용되는 애니메이션 캐릭터다. 사용자가 가상세계에서 만들어낸 자신의 이미지인 것이다. 하지만 아바타라는 존재가 개인들에게 부속되는 존재인지, 아니면 전혀 다른 개인이 되는 것인지에 대해서는 아직도 이견이 많다.

아바타는 결국 인공적인 존재일 수밖에 없다. 포춘의 수석편집장인 데이빗 커크패트릭은 아바타를 '사이버 공간에 등장하는 인공적으로 만들어낸 정체성' 이라고 정의 내린다.

아바타는 인공적이기 때문에 무엇이든 될 수 있다. 자신의 모습을 동물로 만들 수도 있고, 8등신의 미녀로 만들 수도 있다. 특히 세컨드라이프처럼 3차원 표현이 가능한 사이버 공간에서 아바타는 하늘을 날 수도 있고, 멀리 떨어진 지역으로 순간이동을 할 수도 있다.

그렇다면 우리는 왜 아바타에 주목해야 하는가? 아바타는 개인의 상징물이기 때문이다. 이미 지니고 있는 자신의 모습에서 벗어날 수 있는 거의 유일한 도구이기도 하다. 사람은 누구나 새로운 환경에 적응할 때 새로운 모습으로 다가서고자 하는 욕구를 지닌다. 아바타는 이러한 점에서 유용한 존재다.

블로그 사이트인 식스어파트(www.sixapart.com)의 로익 르 미어 부회장은 다보스포럼에서 이 점을 강조했다. 실존하는 개인의 정체성만으로는 구글과 위키피디아*, 블로그로 대변되는 인터넷 시대에서의 새 출발이 어렵다. 이미 개인의 정보를 인터넷 사이트에서 쉽게 찾을 수 있기 때문이다. 만약 과거 자신이 잘못된 행동으로 주목을 받았거나 다른 이유로 사람들의 이목을 끌었다면 여기에

전 세계 이용자들이 함께 만드는 백과사전 위키피디아 홈페이지

Source : www.wikipedia.org

서 벗어나기는 더욱 어렵다.

설사 이것이 잘못된 정보에 의한 것이더라도 이미 네트워크를 타고 파급된 상태기 때문에 이를 바로잡는 일은 사실상 불가능하다. 실존하는 개인은 어느 곳에도 숨을 수가 없다. 인터넷에는 너무도 많은 정보가 있고, 너무나 쉽게 정보를 얻을 수 있기 때문이다.

미어는 "아바타는 흠집 내기에서 벗어나 인터넷에서 새로운 정체성으로 살아갈 수 있는 기회를 제공한다"고 말한다. 아바타를 통해 모든 과거를 털고 새 출발하는 기회를 찾아낼 수 있기 때문이다.

미어의 분석은 아바타가 익명성을 전제로 하고 있음을 의미한다. 사이버 공간을 채우고 있는 정체성들이 아바타라면, 사이버 공간은 익명성을 전제로 운영될 수밖에 없다. 그렇다면 힘의 이동 시대에 권력을 쥐고 있는 개인의 정체성도 익명성에 의지하게 되는 결과에 이르게 된다.

위키피디아(Wikipedia)

하와이 말로 '재빠르다'라는 의미인 위키(Wiki)와 백과사전(Encyclopedia)의 합성어. 누구나 자유롭게 정보에 접근할 수 있고 편집할 수도 있다. 인터넷을 이용하는 집단지성(Collective Intelligence), 다수의 네티즌들이 참여해 탄생시킨 초대형 인터넷 백과사전의 대명사다. 웹사이트(www.wikipedia.org)를 통해 필요한 정보를 손쉽게 얻을 수 있다.

방대한 정보가 축적돼 있지만 위키피디아의 운영자는 이와 같은 정보에 대해 개입하지 않는다는 중립적인 태도를 지니고 있다. 이와 같은 방침이 큰 호응을 얻어 전 세계 이용자들이 자유롭게 정보를 올리고 있다.

그러나 최근 정보에 대한 악의적 조작 문제가 떠오르면서 잘못된 정보를 걸러내는 방법에 대한 논의가 진행되고 있다. 위키피디아는 2001년 1월 영어로 처음 서비스를 선보인 이후, 현재 200여 개 언어로 정보를 제공하고 있다.

‘익명성의 함정’ 어떻게 극복할 것인가?

익명의 개인들이 ‘잘못된 권력’ 을 행사하면 사회는 어디로 가게 될까? 무책임하고 부도덕한 여론몰이로 ‘바람직한 사회 현상’ 에 제동을 걸면 우리의 미래는 어떻게 될까? 여기에 웹2.0이 안고 있는 ‘익명성의 함정’ 이 있다.

익명성이 가져오는 폐해는 이미 여러 곳에서 목격되고 있다. 사실관계에 대한 확인도 없이 나온 무책임한 발언이 네트워크를 통해 빠르게 확산되고 있기 때문이다.

블로그 사이트인 테크노크라티의 CEO 데이브 서프리는 다보스 포럼에서 이 상황을 게임이론인 ‘죄수의 딜레마*’ 에 비교했다. 서로를 의심하기 때문에 더 이상 아무도 믿지 못하게 된다는 것이다. 인터넷에서는 순식간에 명성을 잃고 추락하는 사람들이 계속 등장하고 있다.

한국에서도 소위 ‘악플’ 이 문제가 되고 있으며, 심한 경우 악플의 대상자들이 자살을 선택하는 경우도 발생하고 있다. 이와 같은 익명성의 폐해를 막기 위해 한국에서는 제한적인 인터넷 실명제를 도입하기로 결정했다.

바로니스 그린필드 영국왕립연구소장은 이와 같은 익명성에 우려를 표명한다. 그는 “개인이 사이버세계에서의 정체성과 실제세계에서의 정체성을 분명하게 구별할 경우 문제가 발생한다” 고 진단한다.

사이버세계에서의 자신과 실존하는 자신의 연결고리를 끊어버

“

20년 이내에 가상현실 세계는
현재의 이메일만큼이나
일반화될 것이다.

”

미첼 카포, 린든랩 이사회 의장

린다면 익명성에 편승해 보다 위험한 존재가 될 수 있기 때문이다. 또한 사람은 바깥세계와의 상호작용에 지속적으로 영향을 받는데, 이 과정에서 정체성의 발전 과정을 밟게 된다는 것이다.

그는 “사이버세계에 존재하는 자신의 모습과 실제 자신의 모습을 연결하려는 노력이 필요하다”고 주장한다. 이와 같은 문제가 해결되지 않을 경우 또 다른 러다이트(산업혁명에 반대하며 벌인 기계파괴운동) 운동이 따를지 모른다고 경고한다.

좋든 싫든 간에 인터넷 상의 익명성은 필연적인 현상으로 굳어졌다. 가상현실세계는 인터넷 시대에 다양한 혜택과 기회를 줄 수 있는 또 다른 세계이기도 하다.

세컨드라이프를 운영하는 린든랩의 이사회 의장 미첼 카포는 “20년 이내에 가상현실세계가 현재 사용 중인 이메일만큼이나 일반화될 것”이라고 전망한다. 그리고 “육체적으로 장애가 있는 사람들이 많은 혜택을 받을 것"이라고 주장한다.

호미 바바 하버드대 교수도 가상현실이 인간 삶의 연장 선상에 있는 것이라고 말한다. 카프카나 프로이트와 같은 예술가와 철학가가 창안했던 환상적인 세계가 온라인에 등장했다는 것이다.

따라서 지금의 가상현실세계도 결국은 인간을 기반으로 하고 있다는 분석이다. 폐해를 막기 위한 인위적인 인터넷 통제는 실현 가능하지도 않고 오히려 인터넷의 기회를 감소시킨다는 진단이다. 인터넷 상의 자율성을 최대한 보장하면서 익명성의 폐해를 줄이는 방법이 필요한 시점이다.

니클라스 젠스트롬 스카이프 CEO는 대안으로 경매사이트인 이베이를 예로 들고 있다. 이베이 역시 사이버 공간 상에서 전자상거래 사업을 벌이고 있으므로, 익명성의 피해 앞에서 속수무책으로

죄수의 딜레마(Prisoner's Dilemma)

서로의 의심때문에 최악의 결론을 내리게 된다는 게임이론.
서로 의사소통이 되지 않도록 독립된 밀폐공간에 갇힌 두 죄수에게 침묵과 폭로라는 두 가지 선택권이 주어진다. 형사는 심증만 있는 상태라서 범인들의 자백이 없이는 기소가 불가능하다.
두 죄수 모두 침묵하면 1년 형을 받게 되고, 모두 폭로하면 각각 5년 형을 받게 된다. 만일 한 명이 자백하고 한 명이 침묵하면 자백한 사람은 풀려나지만, 상대방은 10년 형을 선고받게 된다. 결국 두 죄수는 어떤 선택을 하게 될까?
결국 서로의 이기적인 생각 때문에 두 죄수 모두 폭로를 선택하고 5년씩 형을 살게 된다. 서로 침묵하면 1년으로 끝나는데도 말이다. 죄수의 딜레마는 개인들이 이기적인 동기를 가지고 최선을 다할 경우 최악의 결과가 도출될 수 있음을 시사한다.
메릴 플러드와 멜빈 드레서가 창안했으며, 알버트 터커가 공식화해 죄수의 딜레마란 명칭을 부여했다. 이를 바탕으로 존 내쉬가 게임이론을 풀어내는 '내쉬균형' 개념을 정립해 노벨경제학상(1994년)을 받았다.

당할 위험이 있다. 그러나 이베이는 이 문제점을 극복하는 방법을 찾아냈다. 바로 판매자의 등급을 매기는 방식이 그것이다.

이베이 등 경매 사이트에서는 소비자들이 물품을 구입하고 구입한 물품에 대한 만족도와 판매자의 신용도를 다시 인터넷 상에 올린다. 이때 좋은 평가를 받은 판매자들의 등급이 매겨진다. 소비자들은 판매자들의 신용도와 만족도를 고려해 물건을 믿고 살 수 있는 것이다.

이와 같은 시스템은 스팸메일 등 인터넷 상의 문제점을 해결하는 데 유용한 방법이 될 수 있다. 중앙기구의 개입 없이 이용자들 자체적으로 익명성의 폐해를 해결한 모범 사례다.

다보스포럼의 글로벌 리더들은 이와 같이 익명성을 극복할 수 있는 도구들이 계속해서 개발돼야 한다고 한목소리를 내고 있다. 힘은 개인에게로 이동했지만 정작 그 개인은 누구인지 모르는 것이 현재의 문제점이다. 많은 기회가 펼쳐지지만 그만큼 많은 위협이 상존하는 시대가 바로 웹2.0시대다.

사이버 범죄 다스려야 인터넷 미래 밝다

다보스포럼은 컴퓨터에 침입해 정보를 빼내가는 소프트웨어 로봇인 '보트넷(Botnets)*' 과 같은 사이버 범죄가 인터넷의 가장 큰 위협요소가 될 것이라고 전망한다. 따라서 글로벌 리더들은 사이버 범죄(Cyber Crime)를 다스려야 하며 사이버 범죄 단속에 실패할 경우 인터넷을 통제하는 것이 불가능할 것이라고 입을 모으고 있다.

'누가 인터넷을 지배할 것인가(Who will run the internet)?' 를 주제로 한 토론에서 빈톤 서프 ICAAN 위원장, 하마둔 투레 국제전기통신연합(ITU) 사무총장, 마이클 델 델컴퓨터 회장, 조나단 지트레인 옥스포드대학 교수, 존 마코프 뉴욕타임즈 수석 기자는 인터넷의 미래는 13세 아이들의 손에 놓여 있다며 인터넷을 통제할 효율적 규제 수단의 필요성에 동의한다.

마코프 수석 기자는 "사이버 범죄를 단속할 효율적인 수단을 찾아내지 못한다면, 인터넷 통제에 실패하게 될 것"이라며 "그런 경우 인터넷을 악질 이웃으로 방치하게 될 수밖에 없다"고 우려한다.

그는 "새로운 윈도 운영시스템인 비스타(Vista)의 해적판이 중국에서 판매되고 있다"며"해적판의 30~50%가 파괴적인 트로이목마 바이러스를 갖고 있다"고 분석한다.

마코프는 특히 "컴퓨터 시스템에 침입해 소유자의 인지나 동의

"
사이버 범죄를 통제할 수 있어야
인터넷의 미래가 밝다.
"

존 마코프, 뉴욕타임즈 수석 기자

없이 바이러스 배포자의 이익을 위해 원격으로 네트워크를 통제하는 '보트넷' 이 인터넷을 위협할 것이다"라며 "이를 통제할 수 있어야 인터넷의 미래가 밝다"고 전망한다.

투레 총장은 "이러한 것들은 단속을 초월한 글로벌 네트워크가 가진 전염병이다"라며 "보다 강력한 보안 장치를 만들 필요가 있다"고 주장한다. 그는 "정부가 민간, 특히 제조업체와 한 자리에 앉아 해법을 찾아 나설 때"라고 목소리를 높인다.

이메일 계정의 확산과 도메인 등록에 대한 도전도 거세다. 서프 위원장은 "기술적 도전이 거세게 일고 있고, 현재 40억 개가 한계인 이메일 계정이 고갈되고 있다"며 "라틴 글꼴을 사용하지 않는 언어와 문자를 가진 국가로 인터넷이 확산됨에 따라 또 다른 도전이 되고 있다"고 말한다.

도메인 등록업체도 아직 할 일이 많다. 서프 위원장은 "은행계좌를 개설할 때처럼 도메인의 소유주가 누구인지 확인하는 실사(Due Diligence) 과정을 거쳐야 한다"는 입장을 보이고 있다. 지트레인은 "제조업체와 인터넷 카페 소유자들이 새로운 정보통제자(Gatekeeper)로서 좋은 것은 허용하고 나쁜 것은 차단할 수 있어야 한다"는 의견을 제시한다.

델은 "인터넷이 앞으로도 익명의 시스템이 될 수 있을지" 의문을 표시한다. 또한 지트레인 교수는 "메시지를 전달하는 통로가 위험을 운반하는 통로가 될 수 있다는 데 함정이 있다"고 지적한다.

규제조건을 충족시키는 새로운 네트워크의 필요성도 제기되고 있다. 델과 지트레인은 다보스포럼에서 규제 사항을 충족하는

NGN(Next Generation Network)이라는 차세대 네트워크라 불리는 네트워크의 필요성을 언급하고 있다. 음성과 데이터, 유선통신과 이동통신이 하나의 네트워크로 통합되고 네트워크 계층과 서비스 계층을 분리해 서비스가 독립적으로 제공되는 네트워크가 필요하다는 지적이다.

폴 사포 미국 미래연구소 이사는 "인터넷이 모든 사람의 이해관계에 긍정적으로 영향을 미칠 수 있는 '인터넷 법률 규제'를 검토하는 것이 최대 현안이다"라고 강조한다.

보트넷(Botnets)

컴퓨터에 침입해 배포자들을 위한 유리한 정보를 빼내거나 운영체제를 망가뜨리는 '보트'라고 하는 악성 소프트웨어 로봇의 연결망. 보트넷 배포자들은 이를 이용해 네트워크를 통제할 수 있게 된다.

보트넷은 해커의 명령을 받아 시스템 정보를 유출시키는 역할을 한다. 보트란 본래 인터넷 상에서 정보 검색을 하기 위해 다른 웹페이지도 자동으로 검색해 자료를 수집하는 프로그램을 말한다. 그러나 이러한 기능을 악용해 네트워크에 연결된 PC를 마음대로 작동시키는 사례가 자주 등장하고 있다.

이와 같은 보트가 서로 연결된 보트넷은 대량으로 스팸메일을 발송하거나 특정 웹사이트를 공격해 사이트를 다운시킬 수도 있다. 현재 6억 대의 PC 중에서 1억~1억 5,000만 대의 PC가 보트넷으로 이용되고 있다는 통계가 있다.

기술진보의 승자와 패자는?

기술진보 최대 피해자는 전통 미디어

'기술진보의 승자와 패자는 누구일까.'

세계가 숨 가쁘게 변화하고 있다. 인터넷 디지털 시대가 촉발한 글로벌 자본주의 대변혁은 새로운 힘의 이동을 동반하며 과거와는 다른 새로운 승자를 낳고 있다. 이런 의미에서 힘의 이동을 논할 때 기술진보를 뺄 수는 없다. 이를 반영하듯 '기술의 혁신이 사회에 미치는 영향' 에 대한 다보스포럼 참석자들의 관심도 뜨겁다.

신문은 인터넷 시대에 가치를 잃게 될까? 그에 대한 답은 전혀 그렇지 않을 전망이라는 것이다.

구글의 공동 창업자인 래리 페이지와 세르게이 브린은 "신문은 인터넷 시대에도 살아남을 것" 이라며 "신문의 미래는 밝다고 생각한다" 고 강조한다. 종이는 여전히 광고하기에 좋은 매체로 남을 것이며, 온라인 광고가 신문광고를 대체하려면 오랜 시간이 걸릴 것이라고 전망한다.

그렇지만 전통 방송채널은 피해를 볼 것으로 보인다. 리처드 퀘스트 CNN 인터내셔널 영국 앵커는 "기술진보 시대의 최대 패자 중 하나는 CNN과 같은 거대 전통 미디어 회사일 수 있다" 고 불평한다. 새로운 뉴미디어 시대에 전통 미디어가 심각한 타격을 입고 있다는 지적이다.

같은 미디어임에도 디지털과 인터넷, 멀티미디어를 수단으로 한 뉴미디어의 트렌드에 신속하게 적응하지 못하는 전통 미디어의 잘

기술발전에 따른 미디어의 위협

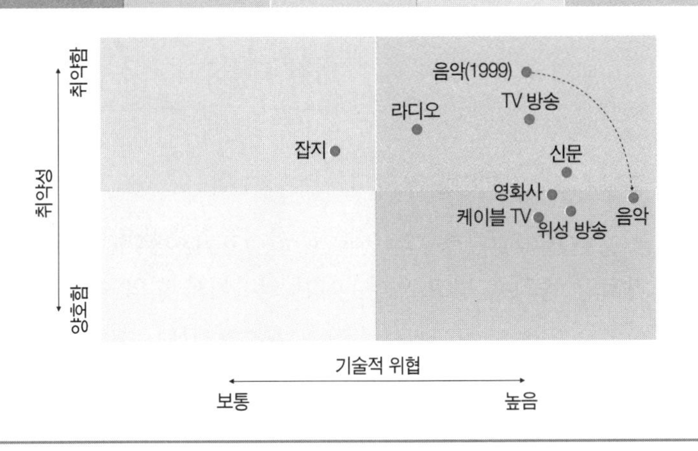

Source: 포레스터 리서치 Inc., 2005

못이 크다고 볼 수 있다. 그는 인터넷 세계 힘의 균형이 전문가들의 지식과 지혜에서 아마추어 집단으로 넘어가고 있다는 점을 주목한다.

퀘스트 앵커는 이 과정에서 아마추어 집단의 무분별한 저작권 침해, 부정확한 자료의 생산, 익명을 앞세운 거짓 정보 등이 사회에 미칠 부정적인 영향을 지적한다. 퀘스트 앵커는 "정보의 정확성과 질을 관리할 수 있는 방안은 어디 있는가" 라는 질문을 던지고 있다.

사회를 바꾸는 기술진화의 물결

글로벌 리더들은 사회적으로 기술변화가 촉발하는 변화의 바람은 더욱 거셀 것이며 21세기는 '힘의 이동' 이 키워드가 될 것이라는 점에 모두 공감을 표시한다.

윌리엄 미첼 에로우 일렉트로닉스 회장은 기술진보에 따른 일반인의 의식변화를 촉구하고 있다. 기술 발전이 예기치 않은 충격을 가져오고 결국 삶의 질 향상을 상쇄할 것이라는 '제로섬(Zero-sum)적' 사고에서 벗어나야 한다는 지적이다.

그는 "일반인들은 기술이 가져오는 단기충격은 과대평가하는 반면 장기적인 혜택은 과소평가하는 경향이 있다"며 "기술이 사회를 변화시키는 능력과 속도는 학교가 변화에 반응하는 속도를 앞지를 것"이라고 전망한다.

예상과 달리 기술 발달의 부정적 요소가 경계되고 있다. 대니엘 사피로 하버드 로스쿨 부학장은 기술의 발달이 사회에 치명적인 손해를 가져왔다고 강조한다.

그는 "사람들은 자신이 일의 처리과정이나 결과, 다른 이해관계자들과 연결되어 있다고 느끼지 못하면 동기부여가 되지 않는다"라고 단언한다. 인터넷의 발달로 사람 간의 대면접촉이 줄어들면서 기업 회의석상에서도 생산성이 극도로 저하되고, 더 나아가 국제 문제를 다루는 영역에서도 외교관들이 상호 불신에 가득 차게 됐다는 게 그의 주장이다.

그러나 글로벌 비즈니스 네트워크의 피터 슈워츠 회장의 생각은 다르다. 그는 "신기술의 결속력은 무한한 혜택을 주고 있다"라고 반박한다. 기술진보가 삶의 질적 개선까지 가능하게 했다는 것이다. 그는 16세의 아들과 90세의 장모를 그 사례로 제시한다.

그는 "아들이 인터넷을 통해 지식과 정보의 세계에 손쉽게 접근하면서 그의 생활은 너무나 풍부하고 확장됐다"고 말한다. 그는 또 "장모가 온라인을 통해 얻는 것, 다른 노인들과 경험담을 공유하는 것 등은 모두 인터넷이 주는 혜택의 소산이다"라고 역설한다.

인터넷 버블은 없다

누구나 인터넷에 글, 동영상을 올리는 웹2.0시대의 파도가 거세다. 이에 맞춰 구글, 야후 등 거대 기업들이 웹2.0 사이트를 경쟁적으로 사들이자 닷컴 버블에 대한 우려가 높아지고 있다.

그러나 다보스포럼에 참석한 IT(정보기술) 전문가들은 2000년 전후 같은 '인터넷 버블 붕괴'는 없을 것이라고 진단한다.

존 마코프 뉴욕타임스 수석 기자는 "요즘 웹2.0 기업들은 과거 닷컴 기업들의 특징이었던 거품투자와는 달리 상당히 검소한 방식으로 접근하는 경향이 두드러진다"고 말한다. 또한 다보스포럼의 차세대 지도자로 선정된 존 베틀레 연합 미디어 회장은 "웹2.0 서비스의 대표 모델인 구글 애드센스(AdSense)처럼 많은 신생기업들이 자금조달도 없이 서비스를 시작한 뒤 유료서비스 업체로 성장하고 있다"라고 강조한다.

또 이들은 향후 웹3.0시대에서도 인터넷이 단순 분류 기능보다 정보 공유를 통해 사용자를 '안내'하는 추세가 더욱 강해질 것으로 내다본다.

마코프 수석 기자는 "현재 일반인들이 자발적으로 온라인 상에

성장 추세에 있는 인터넷 기업의 수익

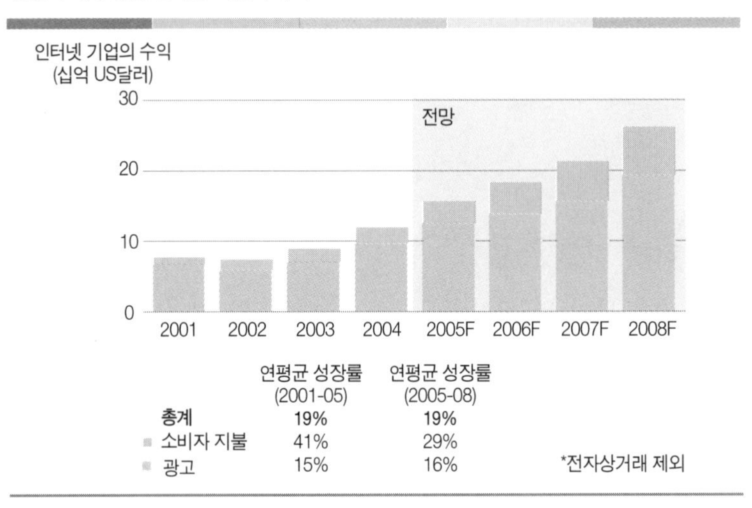

Source: 닐슨 · 넷리이팅, 인터넷광고국, CSFB, 베인, WEF

올린 방대한 양의 자료와 문서들을 더욱 효과적으로 이용할 수 있도록 도와주는 도구들이 개발될 것"이라고 전망한다.

다만 존 게이지 선마이크로시스템 부사장은 "신기술들은 기업들에게 기회인 동시에 개인 사생활에 상당한 위협이 될 것"이라고 전제한다. 또한 "기업들이 개인 위치 정보파악 서비스 등을 잘 개발하면 사업기회가 많이 생길 것"이라며 새로운 비즈니스 측면에서 바라볼 것을 주문한다.

일부 전문가들은 웹2.0 등 가상 네트워크(Virtual Network)의 발전으로 인해 실리콘밸리가 가지고 있던 첨단 혁신기술의 메카로서의 역할이 감소할 것으로 전망한다.

현재 웹2.0 관련 혁신기술 중 상당수가 다양한 지역, 특히 유럽

지역에서 개발되고 있다는 설명이다. 기술 개발보다는 인터넷에 익숙한 다수의 사용자들이 새로운 혁신의 주체로 등장하고 있다.

웹3.0시대와 기업경영

웹2.0을 넘어 웹3.0시대(웹2.0을 뛰어넘어 인터넷 사용성의 혁신에 초점을 둔 변화)가 열리고 있다. 다보스포럼은 웹3.0시대가 인터넷의 새로운 파워를 형성하고 있다며 이를 활용한 비즈니스 전략을 수립할 것을 권하고 있다.

존 마코프 뉴욕타임스 수석 기자는 "웹3.0시대에는 인터넷이 카탈로그처럼 정보를 단순히 나열하는 게 아니라 손쉽게 정보를 활용할 수 있도록 도와주는 가이드 역할을 하게 된다"고 말했다.

그는 "웹이 지능화한 '시맨틱 웹(Semantic Web)*'의 발달로 컴퓨터가 사람을 대신해 온라인에서 얻을 수 있는 엄청난 양의 데이터를 개인들이 손쉽게 활용할 수 있도록 혁신적인 역할을 할 것"이라고 말한다.

구글은 '엔터프라이즈용 구글 원박스 애플리케이션'을 개발해 구글의 검색 인터페이스를 사용, 기업이 필요로 하는 모든 데이터를 안전하게 검색할 수 있도록 했다. 기업은 이 시스템을 통해 업무 일정, 직원 복지, 판매 · 구입 목록 같은 기업에 특화된 검색을 할 수 있다. IBM의 분석엔진인 '웹 파운턴(Web Fountain)'은 인터넷에 흩어져 있는 각종 자료를 한 데 모을 수 있는 지능을 가지고 있다. 복잡한 질문에 답변할 수 있는 검색엔진과 특정영역에 대한 전문성을 심화한 검색기능을 가진 엔진이다.

이는 인터넷의 효과적인 활용이 갈수록 중요해진다는 의미다. 따라서 가상공간에서의 네트워크가 발달함에 따라 실리콘밸리 같은 지역 클러스터의 혁신 중심지로서의 역할은 감소할 전망이다. 대신에 유럽이나 아시아 등 인터넷을 효과적으로 사용하는 지역에서 새로운 기술이 출현할 가능성이 높다.

창업도 가상세계인 인터넷을 통해 보다 용이하게 이뤄질 전망이다. 페더레이티드 미디어의 존 바텔 회장은 "앞으로 거액의 돈을 조달하거나 엄격한 절차를 거쳐 창업을 하거나, 외부 자금의 도움 없이 기업을 시작할 수 있게 됐다"고 말한다.

최초의 인터넷 창업 모델은 구글 애드센스(Google AdSense)다. 이것은 크고 작은 모든 웹사이트 게시자들이 웹사이트의 콘텐츠 페이지에 연관성 있는 구글 광고를 게재하고 수익을 얻을 수 있도록 해주는 프로그램이다.

웹3.0시대는 이처럼 새 사업 창출 기회를 무수히 제공하고 있다.

시맨틱 웹(Semantic Web)

컴퓨터가 사람을 대신해 정보를 읽고, 이해하고, 가공해 새로운 정보를 만들어 낼 수 있도록, 이해하기 쉬운 의미를 가진 웹2.0시대의 차세대 지능형 웹이다.
예를 들면 휴가 계획을 짜기 위해 웹 상에 있는 여행정보를 일일이 직접 찾아서 비행기와 호텔을 예약하는 대신에, 자동화된 프로그램에 대략적 휴가일정과 개인의 선호도만을 알려주면 자료의 의미가 포함되어 있는 웹 상의 정보를 해독하여 손쉽게 세부일정과 여행에 필요한 예약이 이루어지는 것과 같다.

집단지성의 위력

웹2.0시대의 사용자들이 생산해 낸 지식콘텐츠, 즉 집단지성(Collective Intelligence)*이 새로운 부를 창출하고 있다. 마이스페이스와 유튜브, 아마존, 이베이 등이 새로운 비즈니스 세계를 만들어내고 있다.
프로슈머들이 온라인과 오프라인을 오가며 제품과 서비스에 대한 아이디어를 제시하고 있다. '디지털 개인'이 기업들을 긴장시키고 있다. 집단지성은 과연 미래 부를 창출해줄 '보물창고'가 될 것인가?

힘의 중심으로 등장하는 '사이버 시민'

집단지성은 우리 사회 힘의 중심을 어떻게 바꿔 놓았을까?

우선 '침묵하는 시민'을 '의견 있는 사이버 시민'으로 바꿔 놓았다. 그들은 게시판과 댓글 등을 통해 자유롭게 자신의 의견을 표현하면서 하나의 세력을 형성하고 있다. 부작용도 심해져 불만을 토로하거나 악의적으로 남을 공격하는 '힘'이 되기도 한다.

채드 헐리 유튜브 창업자는 "새로운 과학기술로 인해 모든 사람들이 자신의 목소리를 낼 수 있게 됐다"며 대중의 힘이 세상을 바꿔 나가고 있다고 말한다. 빌 게이츠 마이크로소프트 회장 역시 인터넷

“

표현의 자유가 폭발하고 있지만,
이를 책임질 수 있는
리더십이 필요하다.

”

루퍼트 머독, 뉴스코퍼레이션 회장

을 “중앙에 집중된 권한을 개인들에게 나눠주는 도구”라 일컫는다.

다보스포럼 참석자들은 여론 주도층이 이제 인터넷을 사용하는 대중들에게 넘어갔음을 인정하고 있다. 고든 브라운 영국 재무장관은 “정치인들은 블로거들의 발언에도 귀를 기울여야만 한다”고 강조한다. 블로거를 비롯한 인터넷 사용자들이 각종 이슈에 대한 의견을 자유롭게 표현하고 있기 때문이다. 그는 “이제 어젠다도 사이버 시민들의 의견을 반영해 새로운 방식으로 설정되고 있다”고 분석한다.

정치인들이 이러한 인터넷 여론을 중요하게 여기지 않는 것은 큰 문제라며 좀 더 빠르게 반응해야 할 것이라고 지적하고 있다. 그러나 브라운 장관은 인터넷에도 통제가 필요함을 부인하지는 않는다. 6,000여 개에 이르는 알카에다 관련 사이트들이 테러를 모의하고 있음을 지적하며 이에 대한 관리가 필요하다고 말한다.

루퍼트 머독 뉴스코포레이션 회장도 "우리는 표현의 자유가 폭발하는 광경을 목격하고 있다"고 진단한다. 인터넷에서 형성되는 공공의 의견은 중요하지만, 이 의견을 책임질 수 있는 리더십이 필요하다는 의견이다.

리처드 퀘스트 CNN 인터내셔널 앵커는 "이와 같은 변화에서 가장 큰 피해를 입는 곳은 CNN과 같은 공신력 있는 미디어"라고 강조한다. 지금까지 전문가들이 통제해 온 언론을 아마추어들이 쥐고 흔들게 된다면 부정적인 효과가 나타날 수도 있기 때문이다.

그렇다면 인터넷 상의 무분별한 정보가 가정으로 침투하는 것을 막을 수 있을까? 국가는 인터넷에 매우 제한된 부분만을 통제할 수 있어 한계가 많다. 이에 따라 지트레인 옥스포드대 교수는 "제조업체와 인터넷 카페 소유자들이 새로운 정보통제자로서 좋은 것은 허용하고, 나쁜 것은 차단할 수 있어야 한다"는 의견을 제시하고 있다.

'알카에다 경영'이 뜬다

위키피디아(Wikipedia)는 세계 최대의 지식공동체로 자리 잡았다. 이 거대한 지식 백과사전을 만들기 위해 지금까지 140만 명의 이용자들, 즉 집단지성이 직·간접적으로 제작 과정에 참여했다. 이용자들이 직접 위키피디아에 정보를 올리며, 정보를 얻는 이용자들은 이 정보에 가치를 부여한다. 이 때문에 이용자들이 가장 옳다고 판단하는 정보들을 찾아볼 수 있다.

위키피디아의 더 큰 장점은 정보가 실시간으로 올라간다는 점이다. 요컨대 지구상에서 찾을 수 있는 가장 최신의 백과사전인 것이다. 위키피디아는 날마다 새롭게 등장하는 신조어들과 시시각각 변화하는 현대의 상황들을 가장 빠르게 반영하고 있다.

위키피디아는 서비스를 시작한 지 2년 만에 전통적인 백과사전과 비교해 양과 질에서 큰 차이가 없는 인터넷 백과사전을 만들어낼 수 있었다. 오히려 정보가 제공되는 속도에 있어서는 전통적인 백과사전을 능가한다.

위키피디아의 이용자들은 전 세계 각지에서 이곳에 정보를 올리고자 움직인다. 금전적인 보상이 없는데도 불구하고 정보 공유라는 한 가지 목적 때문에 이용자들이 몰리고 있는 것이다. 개인들이 각자 알아서 움직이며 하나의 백과사전을 만들어낸 것이다.

다보스포럼은 이러한 위키피디아의 성공사례를 소개하며 '알카에다' 식 경영을 제안하고 있다. 전 세계 각지에서 개인들이 개별적으로 정보를 올리고, 중앙에서는 단지 사이트를 관리하기만 하면 된다. 이러한 방식에서 알카에다를 떠올린 것이다.

테러조직인 알카에다의 구성원들은 하나의 목적을 위해 세계 각지에서 독자적으로 움직인다. 리더는 목표를 설정하는 역할을 맡고, 조직원들은 세포 조직처럼 공동의 목표를 위해 각기 다른 분야의 일을 담당한다.

또한 마치 버섯과도 같다는 점도 공통점으로 꼽힌다. 9 · 11 테러 이후 미국은 알카에다를 뿌리 뽑기 위해 온갖 노력을 기울여왔다. 그러나 세계 곳곳에 숨어있는 테러리스트를 모두 잡아 내기란 쉬운 일이 아니다. 또한 한 지역에서 알카에다 조직원을 검거한다고 해도 다른 지역에서는 끊임없이 출몰하는 실정이다. 버섯처럼

한 쪽을 도려내도 다른 쪽에서 또 다시 자라게 된다는 것이다.

위키피디아의 경우도 마찬가지로 지금까지 140만 명의 이용자들이 참여했다는 사실에서 알 수 있듯이, 일부 이용자들이 정보를 올리지 않아도 누군가가 정보를 올려 빈자리를 채운다. 누군가가 빈자리를 채운다는 것, 이것이 바로 집단지성의 위력이며 힘을 지닌 개인의 위력이기도 하다.

혁신 유도… 기업문화를 바꾼다

집단지성에는 한계가 없으며 정보의 축적만이 거듭된다. 중앙에서 가치 있는 정보를 선별하는 역할이 필요하지만, 이마저도 이용자들이 직접 정보에 점수를 매겨 선별한다. 집단지성이 기존의 중앙집권에서 벗어나 가장 효율적이고 유용한 정보를 제공하게끔 만든 것이다.

다보스포럼은 이처럼 개인들의 참여를 이끌어 내는 사이트가 가장 효율적인 형태가 될 것이라고 전망한다. 또 이 기업이 웹2.0시대의 혁신을 이끌 것이라고 결론 내리고 있다. 네트워크 이용자 개개인이 모이면 양질의 정보를 축적할 수 있게 되고, 이에 따라 인터넷 사이트의 가치가 높아지기 때문이다.

마이푸드닷컴(MyFood.com)은 세계 각국 이용자들의 참여로 음식 재료와 양념, 요리 방식 등의 정보를 축적했다. 또 마이퍼스트라이프트립닷컴(MyFirstLifeTrip.com)이라는 여행 사이트는 이용자들이 직접 여행지의 정보를 올리며 정보를 공유하고 있다.

최근에는 일반 기업에서도 위키피디아 형식의 인트라넷을 도입하고 있다. 티위키(TWIKI)로 불리는 이 소프트웨어는 직원들이 업무를 진행할 때 정보를 손쉽게 공유할 수 있도록 해주고 있다. 또한 추가되는 정보를 빠르게 업데이트할 수 있다.

티위키는 일반적인 인터넷 · 브라우저와 비슷하지만, '편집권'이 있다는 것이 가장 큰 차이다. 사내 직원 모두에게 이 권한을 부여해 누구나 편집이 가능하다. 이를 통해 명령과 통제의 수직적인 의사결정에서 벗어나 수시로 직원들이 개별적으로 업데이트할 수 있게 된다.

삼성과 필립스, 도시바 등의 반도체 설계를 맡아온 ARM은 오랜 시간 티위키를 활용해왔다. 11개국 35개 지역에 있는 1,600명의 직원들을 하나로 묶는 데 티위키만큼 유용한 것이 없다는 판단에서다. ARM은 사내에서 부서별로 30개 위키를 운영하며 협업 체제를 유지하고 있다. 그리고 ARM처럼 티위키를 도입하는 기업들도 점차 늘고 있다. 위키피디아, 그리고 집단지성의 위력이 기업 문화마저도 바꾸고 있는 것이다.

집단지성(Collective Intelligence)

집단지성은 다수의 인터넷 사용자들이 참여해 만들어낸 지식과 정보의 집합체를 말한다. 웹2.0이 표방하는 '공유와 참여, 개방'의 철학을 잘 반영하고 있다.
구글, 아마존, 위키피디아, 이베이 등이 집단지성이 만들어낸 대표적인 웹사이트다. 웹 사용자들이 제공한 콘텐츠, 즉 기여와 공헌을 기반으로 하는 지식 창고 형태의 웹사이트가 예다.
예를 들어, 아마존은 사용자의 참여를 통해 온라인 서점으로서의 입지를 구축한 사례다. 아마존은 단순히 책에 대한 정보를 제공하는 차원을 넘어 사이트에 책에 대한 리뷰를 올릴 수 있도록 함으로써 집단지성의 지혜를 활용할 수 있도록 상품화했다.

온라인 사회혁명 이끈다

유무선의 통신기술은 온라인 세계의 사회혁명을 야기하고 있다. 개인들은 통신 기술을 활용해 집단지성의 위력을 과시하고 있고 개인들이 모여 창출된 집단지성은 기술혁신과 지식활용의 기폭제가 되고 있다.

기술의 발전으로 모든 이용자들이 지식에 손쉽게 접근할 수 있게 됨에 따라 정보의 생산과 유통이 빨라지고 시공을 초월하고 있다. 온라인 세계가 제공하는 집단지성은 생산성을 높이는 도구가 될 수도 있고, 때론 사용자에게 '고통'의 대상이 될 수도 있다.

이제 우리는 휴대폰으로 인터넷에 접속해 정보를 검색하고 공유하는 시대를 맞고 있다. 점차 정보에 대한 접근이 쉬워짐에 따라 집단지성이 보다 광범위하게 확산될 전망이다. 예상치 못한 비용지출이 뒤따르고 컨버전스, 즉 통합과 융합으로 대변되는 기술발전이 유용한 도구들을 계속 탄생시키고 있다.

기업들이 사회혁명을 주도하는 집단지성의 요구에 대응하려면 유기적 협력체제를 구축해야 한다. 따라서 집단지성은 산업 간 기술협력, 직원 간 협력시스템을 찾아낼 수 있는 수평적 사회조직의 탄생을 재촉하고 있다. 존 챔버스 시스코시스템즈 CEO는 "집단지성은 컨버전스의 확산을 요구하고 있고 컨버전스는 새로운 기술의 결합과 협력을 요구하고 있다"고 말한다.

이처럼 집단지성의 시대에는 '명령과 통제'형 경영모델보다 '권한위임'형 경영모델이 훨씬 유리하다. 후자의 경영모델이 훨씬 협력과 유연성을 이끄는 데 도움을 주고 직원들과 소비자 간, 기업 간 직접 대화를 통해 생산성을 높일 수 있기 때문이다.

김신배 SK텔레콤 사장은 "철저한 시장 조사를 통해 진정 소비자들이 원하는 서비스를 찾아내는 게 중요하다"며 협력시스템의 중요성을 강조한다.

온라인 TV와 광고혁명이 몰려온다

온라인을 통해 모든 것을 해결하려는 집단지성의 위력은 TV와 광고 쪽에도 변화의 물결을 일으킬 전망이다. 급격한 뉴미디어 통신기기의 발달로 텔레비전 없이도 영상물을 볼 수 있게 되기 때문이다.

텔레비전에 집중됐던 소비자들이 여러 채널로 흩어지고 있다. 흩어지는 소비자, 세분화하는 니즈를 잡기 위해 기업은 '고객 맞춤형' 서비스로 대응할 것을 요구하고 있다.

빌 게이츠 마이크로소프트 회장은 5년 안에 PC와 TV에 새로운 혁명이 일어날 것이라고 전망한다. 그는 "5년 후 사람들은 우리가 쓰는 TV를 보고 비웃을 것"이라며 "온라인 비디오가 TV 기능을 대신할 것"이라고 예견한다. 온라인 동영상 콘텐츠와 PC, 텔레비전을 하나로 합한 'TV의 혁명적 변화'를 맞게 될 것이라는 게 빌 게이츠의 진단이다.

그는 시청자가 보고 싶은 텔레비전의 프로그램을 마음대로 골라

“

광고업계는 인터넷에서
맞춤형 광고에 더 높은 비중을
두게 될 것이다.

”

채드 헐리, 유튜브 창업자

볼 수 있는 온라인 동영상 시대, 인터넷 텔레비전 시대가 활짝 열릴 것임을 시사하고 있다. 온라인에 익숙한 TV 시청자들은 더 이상 방송시간을 기다리는 데 익숙하지 않으며 원하는 시간에 방송을 볼 수 있는 온라인 비디오를 찾게 된다는 분석이다. 온라인 TV가 기존의 텔레비전 모델을 어떻게 바꿔놓게 될지 주목되는 대목이다.

게이츠는 이와 같은 PC와 TV의 융합은 TV 방송사와 광고계에 큰 영향을 줄 것이라고 진단한다. 동영상을 활용한 방송통신이 융합된 새로운 승자가 탄생할 전망이다.

유튜브의 창업자 채드 헐리는 이 같은 움직임은 광고의 중심을 TV에서 웹사이트로 바꿔놓을 것이라고 단언한다. 헐리는 “획일화된 기존의 광고는 고객의 다양한 니즈를 사로잡을 수 없기 때문에 광고업계가 맞춤형 광고에 더 많은 비중을 두게 될 것”이라고 말한다.

그렇다면 과연 광고업계의 미래는 어떻게 될 것인가? 헐리는 “몇 달 안에 사용자와 교감할 수 있는 사이버형 광고가 등장할 것”이라며 “다양한 집단지성을 공략할 수 있는 맞춤형 광고를 고민하라”고 조언한다.

사이버 세계 리더십이 필요하다

집단지성을 안전한 세계로 안내하려면 어떤 노력이 필요할까?

가장 큰 문제로 인터넷 규제수단의 필요성이 제기되고 있다. 선각자들은 인터넷 상의 무분별한 정보, 잘못된 정보를 차단할 장치의 필요성을 제기하고 있다. 하지만 세계는 이미 인터넷을 통제하는 데 한계에 봉착하고 있다.

다보스포럼은 진원지를 알 수 없는 정보전염병(Infodemics)이 사회를 충격에 몰아넣을 수 있다고 경고한다. 미리 대처하기도 힘들며, 잘못된 추측이라 하더라도 일단 정보가 전달되면 시장은 민감하게 반응하기 때문이다. 따라서 폴 사포 미국 미래연구소 이사는 ‘인터넷 법률 규제’의 필요성을 제기한다. 또한 조나단 지트레인 옥스포드대 교수는 제조업체와 인터넷 카페 소유자들이 정보의 새로운 통제자로 나서야 한다는 의견을 제시한다.

하마던 투레 국제통신연맹(ITU) 총장은 “네트워크에 침입해 정보를 빼가는 ‘보트넷’은 단속이 어려운 글로벌 네트워크의 전염병”이라며 “보다 강력한 보안 장치 마련을 위해 정부와 민간, 특히 제조업체가 한자리에 앉아 해법을 찾아야 한다"고 강조한다.

마이클 델 델컴퓨터 회장과 지트레인 옥스퍼드대 교수는 규제 사항을 충족하는 NGN(Next Generation Network)이라는 차세대 네트워크의 필요성을 제안하고 있다. 인터넷을 통제할 효율적 규제 수단을 찾는 고민은 앞으로도 계속될 전망이다.

3

돈 먹는 고령인구

오래 사는 것은 축복이지만 거꾸로 15~64세에 달하는 경제활동인구와 국가의 경제 부담을 가중시킨다. 한국 사회를 들여다 보자. 한국은 2005년 생산가능 인구 7.9명이 65세 이상 노인 1명을 부양했다. 하지만 2030년에는 생산가능 인구 2.7명이, 2050년에는 1.4명이 노인 1명을 부양해야 한다. 다보스포럼은 고령화 사회를 맞아 노인의 목소리, 즉 파워가 커질 것을 예고하고 있다. 특히 인구구조 변화에 대한 국가적 대응책을 촉구하고 있다.

경제활동인구가 사회비용 감당 못해

저출산율과 수명 연장에 따른 인구 변화로 인해 전 세계는 몇 년째 시름을 앓고 있다. 이를 반영하듯 다보스포럼에서는 인구구조 변화에 따른 대응책을 촉구하는 목소리가 높다.

평균수명이 늘고 출생률은 낮아지면서 연금이 제 역할을 못하고 있다. 이에 따라 다보스포럼은 OECD 국가들이 노화로 인해 발생하는 비용을 감당하기 위해 얼마나 혹독한 대가를 치루고 있는지 깨달을 것을 촉구하고 있다.

고령화 사회는 바로 돈이 많이 드는 사회를 의미한다. 사람들의 평균수명이 증가함에 따라 비용도 동시에 증가하고 있다. 또한 출산율은 떨어지고 재원은 고갈되고 있다.

과학이 발전하고 생활의 편의가 증대되고 있지만 그만큼 삶의 대가는 갈수록 비싸지고 있다. BBC 뉴스의 데클란 커리는 "우리는 오래 살고 일도 더하는 운이 좋은 시대에 살고 있지만 삶의 비용은 점점 비싸지고 있다"며 고비용 미래사회를 우려한다. 그는 이탈리아와 독일은 2030년까지 경제총생산(GDP)의 25~30%가 연금과 보건비용에 들어갈 것으로 예상하고 있다.

결국 점점 더 많은 근로자들이 자신들의 고령 가족들을 돌봐야 하고, 그로 인해 발생하는 결근과 대체 근로자 비용, 생산성 저하 등의 비용 부담이 높아지게 된다. 그러므로 비용 증가의 부담은 결국 기업이 질 수밖에 없다.

커리는 "미국 기업들은 가정에서 노인을 돌보기 위해 결근하는 근로자로 인한 손해비용이 무려 연간 350억 달러에 달한다"고 분석한다.

인구구조의 변화는 경제에 중요한 영향을 미친다. 개발도상국에서 젊은 층의 증가는 그들 정부에 기회가 될 수 있지만 안정을 위협하는 요소가 될 수도 있다. 다른 한편으로 중국을 포함해 고령인구의 증가는 해결해야 할 최우선 과제가 되고 있다. 연금과 의료보험의 혁신적인 개혁이 요구되고 있고 민영화가 보편적인 치료법을 제공하지 못할 것이라는 불안감이 커지고 있다.

더구나 사람들이 점점 전원지역을 떠나 도시로 이동하고 있다.

세계 평균수명 증가추이

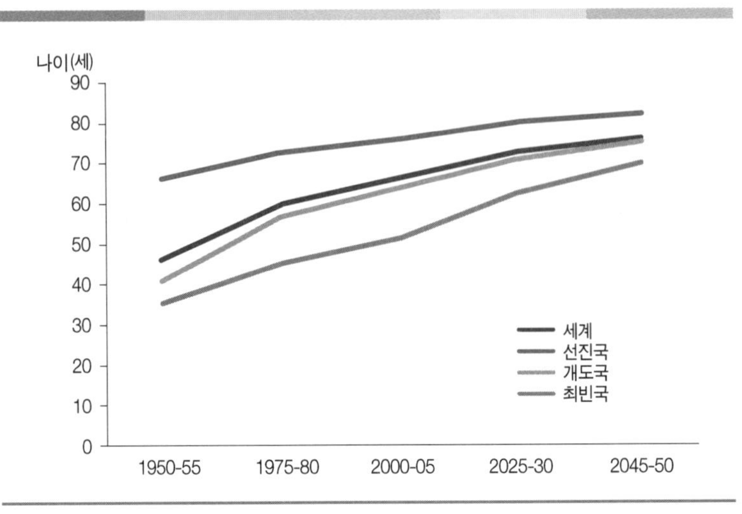

Source : UN

60, 65, 80세의 남은 수명 전망

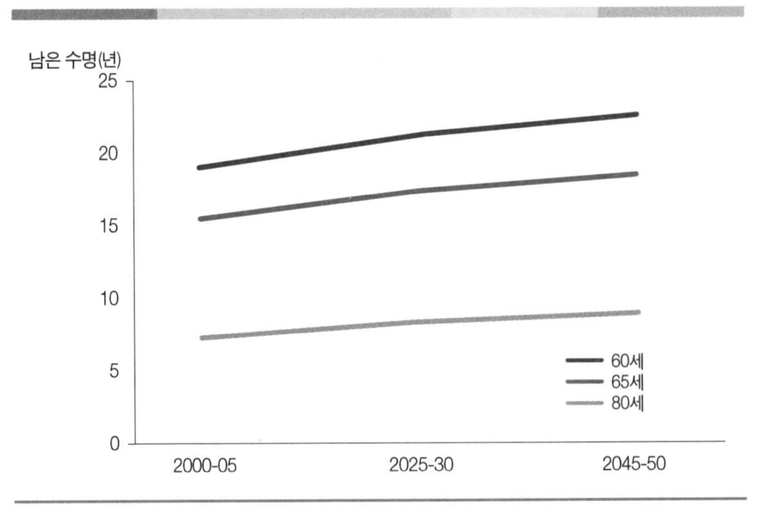

Source : UN

이는 도시경제의 팽창을 촉진시키고, 도시 생활을 건강하고 지속가능하도록 해야 할 새로운 과제들을 만들어내고 있다.

65세 이상 일해야 살 수 있는 미래

생산현장에서 국가와 가정을 먹여 살릴 경제활동인구가 사회를 떠받칠 부를 창출하지 못하면 어떻게 될까? 당연히 국가는 경쟁력을 잃을 수밖에 없다. 노인도 일을 찾아 집 밖으로 나가야 한다. 이에 따라 노인들의 은퇴연령 논의가 용솟음치고 있다.

독일 키엘 세계경제연구소의 데니스 스노 소장은 "나이가 들어서도 일을 계속할 수 있도록 동기를 부여해야 연금비용을 줄일 수 있다"고 말한다. 노인의 정년연장이 중요한 이슈로 논의되고 있음을 시사하고 있는 것이다.

국제산업연맹(ITUC)의 가이 라이더 총재는 "노령화의 가장 큰 문제점은 소중한 인력 자원이 비노동 인구로 옮겨가는 것"이라며 "은퇴연령을 연장해야 한다"고 강조한다. 경제활동인구만으로는 기존의 고비용 사회를 지탱하기 힘들다는 지적이다.

한스 요하킴 코버 독일 메트로 회장 겸 CEO 역시 "고령 직원이 더 믿을 수 있고, 충성도도 높다"며 "나이에 관계없이 직장을 구할 수 있는 문화가 마련되어야 한다"고 말한다. 스노 소장은 "평균수명이 연장된 만큼 더 일할 수 있는 기회를 확대하고 더 많은 인센티브도 마련해야 한다"며 "이러한 대책이 막대한 연금 손실을 막을 수 있을 것"이라고 강조하고 있다.

라이더 총재는 "50대 근로자들은 인센티브가 없기 때문에 시장을 떠난다"라고 지적한다. 그는 "이는 숙련된 인재들이 경제활동을 할 수 있음에도 불구하고 일자리를 떠나 비노동 인구가 된다는 것"이라고 말한다. 라이더 총재는 "이 상황을 극복하기 위해서 퇴직연령을 늘리는 등 다양한 정책적 방안들을 활용해야 한다"는 의견을 제시한다. 그는 "이런 해결책들은 젊은 인재들에게서 나오는 것이다"며 젊은 층의 주도적인 참여를 요구하고 있다.

이미 때늦은 연금 · 의료보험 개혁

전 세계 평균수명은 1950년대 이후 계속해서 높아져 왔다. UN 인구보고서에 따르면 1950년에서 1955년의 세계 평균수명은 46세에 불과했다. 하지만 평균수명은 2005년 65세를 넘어 2045년에서 2050년 사이에는 75세까지 오를 것으로 예상되고 있다. 선진국에서는 2050년까지 평균수명이 82세까지 오를 것으로 내다보고 있다.

반면 출산율은 계속해서 줄어들고 있다. 2000년에서 2005년의 세계 출산율은 인구 1,000명 당 2.65명을 기록했다. 1950년에서 1955년의 세계 출산율은 5명을 기록했다. 이런 현상이 자연스럽게 고령화 사회로 이어지고 있는 것이다.

현재 OECD 국가들은 고령화의 대가를 톡톡히 치르고 있다. 다보스포럼의 글로벌 리더들은 세계가 연금과 의료보험 개혁에 뒷북을 치고 있다고 지적한다. 우리가 직면한 복잡한 현안들을 해결할 수 있다는 자신감을 나타내면서도 연금과 건강보험제도 개혁을 고려의 대상으로 삼기에는 이미 때가 늦었다는 것이다.

현재의 연금 정책은 세계 금융 시장이 활황일 당시 마련되었다. 특히 고용주가 개입해 넣은 급여 조항은 더욱 그렇다는 게 일반적인 시각이다. 세계경제 성장이 둔화되면서 기업들도 이에 따라 연금에 대해 무감각해지기 시작했다. 이를 개혁하려는 노력도 형식적인 것으로 돼버렸다.

영국 스탠다드차타드 은행의 어대어 터너는 "영국의 현행 연금제도는 선진국에서 가장 구태하고 현실에 부합하지 않는 연금제도가 돼버렸다"고 지적한다. 그는 "현재의 국민연금제도로는 영국 국민들이 최저한도의 생활에도 못 미치는 삶을 살게 될 것"이라고 경고한다. 터너는 기초 연금 지급액과 수령액 사이의 관계가 2012년 이후에나 균형을 회복할 것으로 전망하며 국가연금제도 적용 연령이 2046년경에는 68세로 높아질 것이라는 전망을 내놓는다.

미래에는 투자한 보장자산조차 제대로 돌려받지 못할지도 모른다고 경고한다. 독일 키엘 세계경제학연구소의 데니스 스노 소장은 "미래에는 고령화로 인해 투자한 보장자산도 돌려받지 못하고 개인의 재산권마저도 기대하기 힘들 것"이라는 어두운 전망을 내보인다.

그는 "생각만 해도 끔찍하지만 현재 우리가 가고 있는 연금제도의 방향은 잘못됐다"며 "현재와 같은 연금제도 하에서는 고령화로 인해 인센티브 발생을 기대할 수 없다"고 비판한다. 투자하는 만큼의 안전한 노후를 보장받을 수 없는 것이 우리가 직면한 현실이라는 분석이다.

적정 퇴직연령은 몇 살인가?

그렇다면 고령사회가 조화롭게 운영될 수 있는 적정 퇴직연령은 몇 살이 되어야 할까? 다보스포럼의 오피니언 리더들은 67세와 68세를 거론하고 있다. 정년을 논의할 때 중요한 점은 '균형 잡힌 일자리'의 창출이다.

한스 요하컴 코버 독일 메트로 회장은 "기업들이 '고령화에 따른 균형 잡힌 일자리'를 창출할 의무가 있다"며 "이는 평생교육의 연장선상에서 이뤄질 필요가 있다"고 지적한다. 고령 근로자들의 경험과 노하우를 인정하고 고령자들이 구직 · 취업하는 데 있어 차별 없는 환경을 마련해야 한다는 게 코버 회장의 의견이다.

그는 "정부가 퇴직연령을 65세에서 67세로 변경하자 근로 계약서도 이에 따라 바뀌었다"며 "이러한 변화와 함께 국민들에게 책임 있는 시민의식을 요구해야 한다"고 말한다.

영국 스탠다드차타드 은행의 어대어 터너는 국가연금제도와 맞물려 정년을 생각할 것을 제안한다. 영국의 국가연금제도 적용 연령이 2046년께 68세로 높아지는 현상과 연계할 필요가 있다는 의견이다.

린지 그레이엄 미국 사우스캐롤라이나주 상원의원은 연금과 건강 복지의 위기 해결책은 대강의 그림만 그려졌을 뿐 이를 정치적으로 납득시키기는 불가능하다고 말한다.

흔히 사람들은 이러한 이슈들에 있어 급여나 복리후생문제에 민감하기 때문에 민간분야의 계획에 제동이 걸린다는 분석이다. 그레이엄은 미래에는 개인이 이성적 판단에 따라 합리적 결정을 내리고 자신들의 교육, 훈련, 건강과 교육을 책임질 수 있게 될 것이라고 전망한다.

다니엘 부통 프랑스 소시에테제네럴 CEO는 "연금과 건강복지의 문제들이 과장된 부분이 많다"고 지적한다. 연금문제와 복지문제을 어떻게 재정적으로 뒷받침할 것인가는 결국 돈과 관련된 문제기 때문이다. 그는 "수천만 명의 사람들을 돌볼 규정들을 제시해야 한다"며 "이 규정들을 체계적으로 관리하고 재정적으로 뒷받침할 수 있는 기관들을 만들어내 관리하면 장기적으로 연금 등의 문제를 해결할 수 있다"고 주장한다.

V 힘의 이동 - 국제질서·정치 현장에선

"조건이 없다면 협상의 문은 언제나 열려 있다.
만약 내가 지금 대통령이었다면
미국과의 대화를 환영했을 것이다."

모하메드 카타미, 이란 전 대통령
이란과 미국의 관계를 풀어나가야 한다고 주장하며.

"미국은 독일처럼 나치즘에서 벗어나야 한다."

조지 소로스, 소로스펀드 회장
미국이 이라크 전쟁에서 수많은 피해자를 양산했지만
공격 목표로 삼았던 대량살상무기는 발견되지 않았다며.

1

파워국가와 새 국제질서

신흥 파워국가가 국제질서를 재편시키고 있다. 신흥경제로 힘을 얻은 국가들의 부상, 석유, 가스와 같은 천연자원을 지배하고 있는 국가, 국제 질서를 위협하는 테러리스트들의 위협이 새로운 파워를 만들어가고 있다. 국제기구의 리더십 대신에 이해관계가 비슷한 지역안보협력체, 역내 경제 공동체 등이 힘을 얻고 있다. 단극체제는 무너지고 다극체제가 부상하고 있다. 과연 국제 사회에서 힘의 역학관계는 어떻게 펼쳐질까?

다극체제의 등장과 힘의 분산

지난 2005년 중국과 러시아의 합동군사훈련은 세계의 주목을 끌었다. 두 군사대국의 합동군사훈련은 기존 국제질서의 한 축을 맡아 온 미국과 일본을 긴장시켰기 때문이다. 이에 뒤질세라 미국과 일본은 2006년 미국 샌디에이고에서 연합상륙작전을 벌였다. 이는 세계가 일극화 체제에서 다극화 체제로 바뀌고 있음을 보여주는 대표적인 사례다.

현재 국제 질서의 주도자였던 나토(NATO, 북대서양 조약기구)는 힘의 이동 시대를 맞아 새로운 변화에 적응해야 할 처지에 놓였다.

중국은 적극적인 자세로 주변국들과의 관계구축에 나서고 있다. 중국은 러시아뿐 아니라 인도와도 합동군사훈련을 벌였다. 카자흐스탄이나 우즈베키스탄 같은 중앙아시아 국가들과도 군사훈련을 벌이고 있다. 베트남과는 석유와 가스 등 자원을 공동 개발하기로 합의했다. 중국이 파워국가로 발돋움하기 위한 만반의 준비를 갖춘 셈이다.

러시아는 지난 2005년 유럽으로 향하는 가스관을 일시적으로 차단하며 힘을 과시했다. 인도도 경제성장을 바탕으로 주변국과의 협력체계 구축에 적극적이다. 미국과 유럽, 일본은 기존의 국제질서를 유지하기 위해 안간힘을 쏟고 있다. 세계경제포럼(WEF) 연차총회인 다보스포럼도 알고 보면 유럽식 경제관을 세계경제에 주입하기 위한 시도의 하나며 미국식 국제행사에 대항한 유럽세계의 힘의 과시다.

국제 사회에서 지정학적 힘의 이동은 한 곳에서 다른 곳으로 이동하는 양상이 아니라 매우 복잡한 형태로 진행되고 있다. 중국은 인도와 합동군사훈련을 수차례 지속해왔으며 이를 정례화하겠다는 계획을 세우고 있다. 이와 함께 인도와 적대관계인 파키스탄과도 합동군사훈련을 실시해 인도의 심기를 불편케 했다.

그런가 하면 인도는 미국과 상호방위조약을 체결하며 핵실험 이후 소원해진 미국과의 관계를 개선했다. 미국은 인도와 '전략적 동반자' 관계를 맺으며 중국을 견제하고 있는 것이다.

견제에 견제가 거듭되고 있는 국제질서 속에서 중국은 신경전을 벌이고 있는 미국과도 합동대테러훈련을 벌였다. 또한 중국은 일본과도 군사교류를 진행하고 있다. 이들 간에 우호적인 기류가 느껴지는 듯 보이지만 미국과 일본은 중국을 가상의 적으로 상정한 합동군사훈련을 실시하기도 했다.

이처럼 국제질서에서의 지정학적 힘의 이동은 알 수 없는 방향으로 흘러가고 있다. 이런 양상은 유럽 등 다른 지역에서도 쉽게 찾아볼 수 있다.

티모시 애시 옥스포드대 유럽학 교수는 다보스포럼에서 "국제사회에 있었던 기존의 힘이 전방위로 흔들리고 있다"며 국제 관계에서의 힘의 관계를 설명한다. 다극화의 양상은 갈수록 커지고 있다. 애시는 다극화의 이유 중 하나로 '아시아의 르네상스'를 꼽았다. 아시아는 경제구조 개혁으로 강한 경제력을 확보하게 됐고 역시 강력한 군사력도 지니고 있다.

10~20년간 지속될 미국의 파워

그렇다면 다극화의 영향으로 미국의 힘은 급격히 줄어들까?

미국의 파워가 쉽게 사그라지지 않을 것이라는 게 글로벌 리더들의 의견이다. 애시 교수는 앞으로 지구촌의 다극화 현상은 지속될 것으로 보고 있다. 전통적인 자본주의 국가뿐 아니라 러시아와 사우디아라비아, 이란 등도 서로 경쟁하며 힘의 중심으로 진입할 전망이다. 이들 세 나라가 향후 10년에서 20년 동안 새로운 지정학적인 힘의 이동을 이끌어낼 것이라는 진단이다.

그러나 이와 같은 힘의 이동에도 불구하고 미국의 파워는 막강한 저력을 지닐 전망이다. 민씬 페이 미국 카네기세계평화재단 중국학 연구소장은 "아직까지 힘의 방정식은 변하지 않았다"고 주장한다. 페이는 미국의 힘은 강력하고 복잡한 지배구조에서 나오기 때문에 향후 10년에서 20년 동안 큰 변화가 없을 것이라고 예단한다.

인도와 중국 같은 나라들이 새로운 힘의 주체로 부상하더라도 미국과의 차이는 현격할 것이라는 분석이다. 페이 소장은 "20년 내에는 인도와 중국이 미국의 위치를 차지하지는 못할 것이다"라는 전망까지 내놓고 있다. 그는 "그러나 미국인들은 그들 주변국들에 대해 더 신중해질 필요가 있다"고 강조한다.

페이는 미국과 중국의 지도자를 비교하며 재미있는 전망을 내놓기도 한다. 조지 부시 미국 대통령의 업무 중 95%가 테러문제나 대량살상무기 등 국외문제를 다루지만 후진타오 중국 국가주석의 업무 중 95%는 국내문제에 국한된다는 것이다. 이 둘 모두 좋은 방식은 아니라고 그는 결론 내리고 있다.

한 · 중 · 일, 힘의 중심에 설 수 있을까?

한국과 중국, 일본은 동북아시아의 중요한 전략적 요충지에 있다. 특히 남북한의 대치관계는 한반도의 평화를 위협하고 있다. 진정한 동북아 시대를 열려면 한반도 평화가 제도적으로 정착돼야 한다. 핵문제와 같은 군사위협은 한반도의 국가리스크를 몰고 와 외국인들의 투자를 위축시키고 있다.

20세기 지구상의 마지막 냉전지대로 일컬어지는 군사분계선(DMZ)의 대립관계를 극복하고 한·중·일은 새로운 힘의 중심으로 떠오를 수 있을까?

다보스포럼에서는 이 지역에서의 힘의 이동에 주목하고 있다. 북핵사태로 촉발된 핵 위기는 일단 남북한과 미국, 중국, 일본, 러시아가 참여하는 6자회담에서 '핵폐기'라는 대타협의 실마리를 찾았다.

동아시아는 세계에서 가장 역동적인 지역이다. 또 이들의 경제력은 미국과 유럽에 맞서거나 뛰어넘을 수 있는 힘을 지녔다. 그러나 경제력의 확보가 곧 정치력의 확보로 이어지는 것은 아니다.

한·중·일 경제블록

	세계	한국	중국	일본
GDP(십억 달러)	44,384.9	787.6	2,228.9	4505.9
1인 당 GNI(달러)	6,987	15,830	1,740	38,980
인구(백만 명)	6,437.8	48.3	1,304.5	128.0

Source : 세계은행, 2005년 기준(한국=1인당 GNI 1만 8,300달러, 2006년)

세계경제에 차지하는 비중

한국 + 중국 + 일본	NAFTA	EU
16.9%	32.3%	22.1%

Source : 세계은행, 2005년 기준

경제력을 정치력으로 전환하는 것은 경제력을 확보하는 것보다 더 어려운 일이기 때문이다. 동북아의 통합 수준은 다른 지역에 비해 뒤처져 있다. 동북아 국가들 사이에는 아직 많은 문제가 존재하고 있기 때문이다. 동북아시아 국가들의 통합은 현재로서는 요원한 일처럼 보인다.

조동성 서울대 교수는 지역관계에 영향을 미치는 여러 요인들이 혼재된 상태라고 지적한다. 동북아 국가들이 함께 협력하는 데에 찬성하는 사람들과 반대하는 사람들이 동시에 존재하고 있다는 것이다. 게다가 아시아에서 주도권을 잡으려는 일본과 중국의 세력싸움도 통합의 걸림돌이 되고 있다.

동북아 국가들의 협력에 부정적인 사람들은 역사적인 맥락에 주목하고 있다. 이들은 일본 교과서 문제를 비롯해 한국과 중국, 일본의 역사문제를 먼저 해결해야 한다는 입장이다. 또 자원문제도 논란거리다. 초대형 천연가스전이 있는 동중국해 댜오위다오(釣魚島, 일본명 센카쿠 열도) 부근 해역에서는 중국과 일본의 영토분쟁이 일어나고 있다. 독도를 두고 한국과 일본이 분쟁을 벌이는 이유도 지하자원에서 기인한 부분이 크다.

한 · 중 · 일의 통합에 긍정적인 사람들은 여러 문제에 공동으로 대응할 수 있다는 점을 강조한다. '세계의 공장' 인 중국이 배출하는 오염물질은 인근 지역에도 영향을 끼치고 있으며, 황사문제 등 환경문제도 거듭해서 떠오르고 있다. 또 북핵문제 등 안보문제가 발생했을 때 동북아 지역 국가들이 공동으로 대응한다면 더 효율적으로 문제를 해결할 수 있다고 주장한다.

우 지안민 중국 국제관계대학 총장은 "공동 이슈는 동북아시아의 통합에 긍정적인 전망을 내놓는다"라고 말한다. 한국과 중국, 일본이 경제적인 이득을 나눌 수 있다면 국가 간의 긴장관계도 풀어나갈 수 있다는 의미이다.

마크 풀러 모니터그룹 회장은 "중국의 강한 경제 그 자체가 오히려 긴장관계의 원인이 될 수도 있다"고 경고한다. 값싼 수출품이 밀려들어와 한국과 일본의 기업들이 어려움을 겪게 될 수 있기 때문이다. 그는 특히 중소업체들이 더 민감하게 반응할 것이라고 전망한다.

6자회담과 중국의 부상

경제적인 면에서 파워를 축적하고 있는 중국이 지정학적 측면에서도 파워의 중심이 되기 위해 노력하고 있다.

풀러 회장은 아시아의 지정학 구도 상 중국의 역할이 부상될 것이라고 강조한다. 중국은 나름대로 한국과 일본 등 주변국과 좋은 관계를 유지하고 있고 북한과도 깊은 관계를 이어가고 있다는 게 그의 분석이다. 그는 아시아 지역 통합의 중추적인 역할은 중국이 맡는 편이 유리하고 그렇게 진행될 것이라고 말한다.

하지만 헤게모니를 놓치지 않으려는 일본의 반격도 만만치 않을 전망이다. 가렛 에반스 국제위기그룹 회장은 "한국과 중국, 일본이 하나로 뭉쳐 일단 경제협력체계를 만들어야 한다"고 말한다. 이를 위해서는 중국과 일본의 양보가 필수적이다.

에반스 회장은 유럽석탄철강공동체를 예로 들고 있다. 1952년 창설된 유럽석탄철강공동체는 유럽 지역의 통합을 이끌며 현재의 EU를 만들었다. 동북아 지역도 이와 같은 모델로 먼저 협력체계를 구축해야 한다는 주장이다. 이러한 공동체가 탄생하면 에너지와 안보문제도 함께 해결할 수 있을 것이라는 전망이다.

북한의 존재가 통합을 방해하는 문제 중 하나라는 시각도 대두되고 있다. 코이케 유리코 일본 총리특보는 지난 6개월 사이에 세 가지의 큰 군사적 사건이 있었다고 말한다. 첫 번째는 북한의 핵 실험이었고, 두 번째는 북한의 중거리 미사일 실험이었다. 마지막 사건은 중국의 대위성미사일 실험이라는 지적이다.

코이케 특보는 "북한의 핵 실험과 미사일 실험이 일본의 안보에 직접적인 위협을 가하고 있다"며 북한에 대한 강도 높은 제재의 필요성을 주장한다.

이에 대해 한국의 김병준 청와대 정책기획위원회 위원장은 북한의 핵무기를 '방어용'이라고 해석한다. 북한의 핵무기는 다른 나라를 공격하기 위한 것이 아니라는 분석이다. 김 위원장은 "심각한 경제난 속에서 100만 명이 넘는 북한군을 유지하기는 어렵다"며 북한의 붕괴를 막고 정권 유지비용을 줄이기 위해 핵무기를 개발한 것으로 풀이한다.

그는 "그러나 북한은 핵 실험과 미사일 실험으로 외교적인 고립을 자초했다"고 지적한다. 전통적 우방이었던 중국마저도 북한과거리를 두는 형편이다. 이에 따라 '핵폐기'가 화두인 6자회담 이행이 주목의 대상이 되고 있다.

인구변화로 재편되는 지구촌 권력구도

선진국에서는 이미 인구가 감소 추세에 접어들었다. 출산율보다 사망률이 더 높은 시대에 살고 있다. 이에 반해 가난한 국가들의 인구는 지속적으로 증가하고 있다. 이들 국가의 젊은이들은 일자리를 찾기 위해 안간힘을 쓰고 있다.

유엔은 2050년 세계 인구는 현재 65억 명에서 50%가량 증가한

인도 · 중국의 청장년층(15~35세 인구) 인구 전망

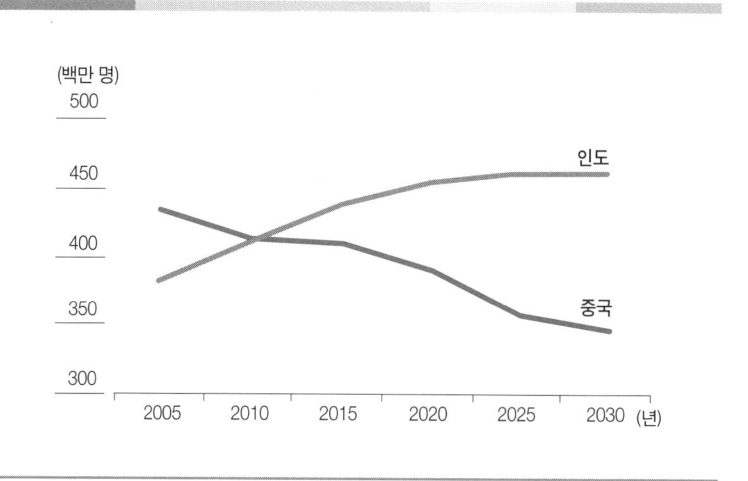

Source : UN

91억 명에 이를 것이며 2030년이면 세계 최다 인구국이 인도로 바뀔 것이라고 전망하고 있다. 인도 국민 절반이 25세 미만인 반면 중국은 2050년이 되면 60세 이상 인구가 4억 3,700만 명에 이른다. 또한 두 나라 영아의 남녀 성비는 심각한 불균형을 이루고 있다.

가난한 국가와 개발도상국들은 이 시기에 압도적인 인구 수 증가를 보일 것으로 보인다. 인구구조 변화가 현재의 힘의 균형을 어떻게 바꿔놓을지, 어떤 대책과 준비가 필요한지 정책 당국은 고민해야 한다.

이안 골딩 옥스포드대 교수는 "인구변화는 지구촌 힘의 균형을 새로운 형태의 균형 상태로 이끌 것"이라고 말한다. 78억 명에서 90억 명으로 추산되는 개발도상국의 인구가 급성장하는 GDP에 힘입어 세계의 주도권을 잡게 될지 모른다는 분석이다. 골딩 교수는 세계의 권력이 G8에서 G20*이나 비슷한 다른 집단으로 이동할 것이라고 전망한다.

리사 앤더슨 콜롬비아대 교수는 이와 같은 예상을 그대로 믿기는 어렵다고 반박한다. 현재의 인구 추세가 전쟁이나 질병 등으로 변화할 가능성도 있기 때문이다. 그는 5년에서 10년 사이에 전염병이 돌지 않을 보장이 없다고 지적한다. 그는 또 고령화 추세가 유럽과 북미 등 부유한 국가에서 두드러진 현상이라는 점에 주목한다. 부유한 국가들이 가난한 국가의 실업자들을 데려와 일자리를 주고 인구 격차를 줄이는 시도가 이뤄질 것이라는 전망이다.

이슬람 국가들은 사하라 사막 이북 지역에서 출산율이 높다. 후

세인 하카니 보스턴대 국제관계센터 소장은 이슬람 지역의 15세 이하 인구만 4억 8,500명에 이른다고 말한다. 그는 "인구가 많아도 이슬람 국가들은 힘을 얻지 못할 것"이라고 예상한다. 이슬람 국가들은 교육 수준이 매우 낮은 데다 무지와 종교에 대한 맹목이 도시화를 억제하고 있기 때문이다.

하카니 소장은 "이슬람교도들이 주류를 차지하건 못하건 간에 이와 같은 문제가 불안정적인 요소로 손꼽힌다"고 지적한다.

아이시 마카티아니 남아공 AMSCO CEO는 "소말리아 이슬람교도들의 혼란이 인근 지역인 케냐에까지 위협을 가하고 있다"고 말한다. 실제, 케냐의 수도인 나이로비는 총을 든 소말리아 젊은이들이 지배하고 있다.

G20

G8을 20개국으로 확대 개편한 세계경제 협의 기구. 선진·신흥 경제 20개국의 재무장관과 중앙은행 총재들이 모이는 회의를 일컫는다.
1999년 9월 IMF(국제통화기금) 연차총회에서 G20 재무장관회의를 정례화하는 데에 합의했으며, 같은 해 12월 첫 회의가 열렸다. G20 회의에서는 주요 국제 금융 현안을 비롯해 아시아 외환위기와 같은 특정 지역의 경제위기 재발 방지책 등을 주로 논의한다.
회원국으로는 미국, 일본, 영국, 독일, 프랑스, 캐나다, 이탈리아, 러시아 등 기존 G8 국가와 한국, 중국, 인도, 아르헨티나, 브라질, 멕시코, 터키, 호주, 남아프리카공화국, 사우디아라비아, 인도네시아, 유럽연합(EU) 의장국이 가입돼 있다. 국제기구로는 IMF, IBRD(세계은행), ECB(유럽중앙은행)이 참여한다.

러시아의 우려와 미국, 인도의 여유

국가의 미래를 보는 눈이 인구 규모에 쏠리고 있다. 미국과 인도는 경제활동 참여 인구가 느는 것에 대해 만족해 하고 있는 반면, 러시아는 인구의 급격한 감소로 비상이 걸렸다.

2006년 10월 인구 3억 명 시대를 연 미국은 인구증가가 경제의 새로운 활력소가 될 것으로 전망하고 있다. 미국 인구는 1915년 1억 명을 넘어선 뒤 1967년 2억 명으로 늘어났다. 이후 출산장려와 이민정책 등에 힘입어 39년 만에 3억 명 시대를 맞았다. 미 통계국은 2043년 인구 4억 명을 돌파할 것으로 전망하고 있다. 출산율도 2.04명으로 매우 높다.

니콜라스 에버스탓 미국기업연구소 소장은 "미국 모든 계층의 출산율이 증가하고 있다"며 "이는 인구가 뒷받침돼야 앞으로 미국이 세계적인 지위를 지킬 수 있다는 애국심에 의한 것이다"라고 해석한다.

따라서 중국의 산아제한정책에 대한 비판론이 대두되고 있다. 월스트리트저널 칼럼리스트 프리데릭 켐프는 "경제성장에도 불구하고 중국이 산아제한정책을 펴고 있다"며 "이는 세계 인구에 시한폭탄과도 같은 정책"이라고 비난한다.

이에 대해 우지안민 중국 외교대 교수는 "1960년대 처음 선보인 산아제한정책은 세계 각국에 호의를 베풀고자 실시한 정책"이라며 "이 정책으로 4억 명에 이르는 중국 인구, 혹은 세계 인구를 줄일 수 있었다"고 인구제한에 대한 긍정론을 폈다. 그는 "산아제한은 중국 가정의 사회 문제를 감수하고 실시한 정책"이라고 옹호하고 있다.

인도는 곧 경제활동에 참여할 인구가 많다는 점을 과시하고 있다. 샴셰르 메타 인도산업연합 회장은 "6세에서 16세 사이의 인도 인구가 3억 2,000만 명에 이른다"며 "경제활동을 시작할 인구가 많아 비즈니스에 좋은 기회가 될 수 있다"고 소개한다.

그러나 청소년층의 과다는 교육 개혁이 잘못된 방향으로 진행될 경우 큰 재앙을 초래할 수 있다. 메타 회장은 "현재 인도는 국가의 통제 하에 기술과 직업교육이 아닌 기계적인 학습이 반복 교육되고 있다"며 "인도가 성공하기 위해서 민간부문에서 기술교육이 이뤄져야 한다"며 교육개혁의 필요성을 강조한다.

인구가 급격히 줄고 있는 러시아에 대한 우려의 목소리도 높다. 에버스탓 소장은 "러시아는 출산율이 저하되고 있는 데다 사망률도 증가해 인구 감소가 빠르게 진행되고 있다"며 인구의 급격한 감소를 경고한다. 푸틴 러시아 대통령은 인구감소를 '국가 위기'로까지 규정하고 있다. 러시아는 1992년에서 2002년 사이에 무려 870만 명의 인구가 줄었다.

출산율 저하는 선진국에서도 흔히 볼 수 있는 현상이지만 러시아의 문제는 사망률이 높다는 점에서 심각한 문제로 인식된다. 사망자의 3분의 1이 노동 가능인력이기 때문에 러시아의 인구 문제는 경제에 큰 타격을 입힐 것으로 보인다. 러시아는 향후 50년간 4,500만 명의 인구가 줄어들 것이라는 전망도 나오고 있다.

에버스탓 소장은 "인구감소를 걱정하는 다른 유럽 국가들은 러시아와 비교할 때 그나마 행복한 편"이라고 지적한다. 그는 또 "러시아는 에너지 면에서는 슈퍼파워에 속할지 몰라도 인구에 있어서는 아니다"라고 진단한다.

2

자원공급자의 영향력

석유와 구리, 우라늄, 알루미늄, 철 등 자원 확보 전쟁이 치열하다. 안정적인 원자재 수급을 위해 국가마다 전략 광물을 설정해 '사재기'에 나서고 있다. 경제성장을 위해서는 자원이란 '실탄'이 있어야 하고 안정적으로 원자재를 확보하지 못하면 경제에 충격이 크기 때문이다.
자연스럽게 원자재 확보가 화두로 대두되면서 원자재와 부품, 자원 공급업자와 국가들이 힘의 중심으로 진입하고 있다.

에너지 수출국의 강해지는 '석유정치'

세계 최대의 온실가스 배출국인 미국은 교토의정서에 가입하지 않아 국제 사회의 비판을 받아왔다. 이를 의식해서인지 조지 부시 미국 대통령은 2007년 연두교서에서 "대체연료 사용을 늘리기 위해 노력할 것"이라고 밝혔다.

특히 다보스포럼이 기후변화를 인류가 극복해야 할 최대 과제로 손꼽으면서 기후변화가 현실문제로 다가오자 미국이 환경문제에 대한 해결책을 찾는 데 보다 적극적인 태도를 보이기 시작했다. 부시 대통령은 "향후 10년 안에 석유 소비량을 20% 가까이 줄일 것

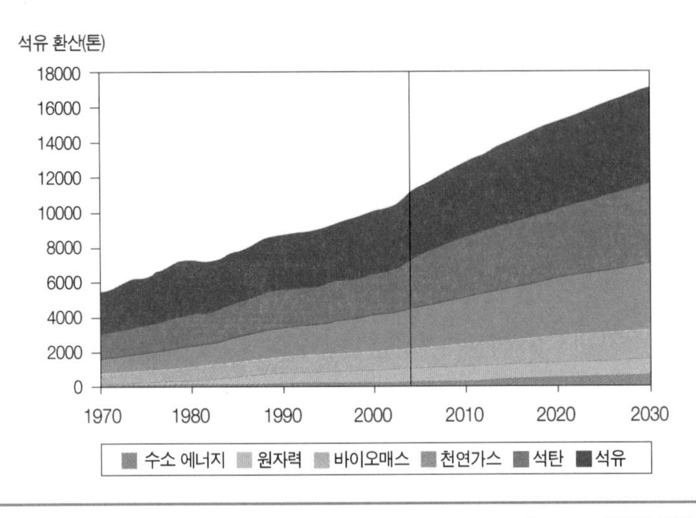

Source : 국제에너지기구

이며, 석유를 대신할 에너지로 에탄올 생산을 연간 350억 갤런으로 늘리겠다"고 발표했다. 또 자동차 연료 효율성 기준도 대폭 끌어올리기로 했다.

부시 행정부는 지구온난화 문제를 해결하기 위해 연간 20억 달러를 지출하고 있다. 다보스포럼에 참석한 새뮤얼 보드먼 미국 에너지 장관은 "2007년에는 온난화문제 해결을 위한 노력이 가시화될 것"이라며 "미래에는 핵에너지와 석탄이 미국 전력 생산에 중요한 역할을 하게 될 것"이라고 강조한다.

에너지와 기후변화는 서로 악순환을 일으키는 관계에 있다. 에너지 사용 증가는 온실가스의 증가로 이어지며, 지구온난화의 형태로 문제가 돌출된다. 게다가 지구온난화는 북대서양의 허리케인을 점점 강력하게 만든다. 이렇게 발생한 허리케인과 같은 기상이변은 에너지 공급시설을 파괴하고 이로 인해 에너지 가격은 다시 오르게 될 것이다. 2005년 허리케인 카트리나가 미국의 정유 시설을 파괴해 국제 유가가 크게 오른 일이 이를 증명하고 있다.

이에 따라 에너지를 확보하기 위한 국가 간의 경쟁이 치열해지고 있다. 다보스포럼은 이처럼 국가 간 에너지 확보경쟁을 둘러싸고 자원 보유국의 정치적 입지가 강해지는 현상을 '석유정치, 페트로폴리틱스(Petropolitics)*' 라고 묘사하고 있다.

석유정치는 석유(Petroleum)와 정치(Politics)를 결합한 합성어로 석유와 천연가스 등 에너지원을 차지하기 위한 에너지확보 경쟁이 격화되면서 에너지 수출국의 정치적 입지가 강해지는 국제정치의 권력현상을 말한다. 에너지 보유국은 현재 에너지를 무기로 상대국과의 관계에서 힘의 우위를 차지하는 '석유정치' 의 선봉에 서고 있다.

석유정치(Petropolitics)

석유(Petroleum)와 정치(Politics)의 합성어로 석유 등 에너지를 보유하고 있는 에너지 수출국이 에너지를 무기로 정치적 실력행사를 하는 권력구도를 말한다. 에너지 수출국들은 수입국들을 대상으로 에너지를 활용해 국제관계에서 우위를 점하려는 시도를 한다.
최근 신흥경제가 급부상하고 있는 데다 에너지 확보를 위한 세계 각국의 경쟁이 치열해지면서 '에너지 정치' 가 세력을 발휘하고 있다. 러시아가 막강한 천연가스 보유고를 앞세워 우크라이나에 가스공급을 중단한 것이 대표적인 사례다.

무기로 변신하는 에너지

국제사회를 지배하는 '석유정치'는 곳곳에서 목격되고 있다. 시가총액 세계 3위 에너지 기업인 러시아 국영기업 가스프롬은 2006년 1월 1일 우크라이나와의 가스가격 협상이 난항을 겪자 엄동설한에도 불구하고 가스공급을 중단했다. 우크라이나를 거쳐 가는 서유럽 국가들에 대한 가스공급도 자연스럽게 끊겼다. 서유럽 지역 국가들은 갑작스러운 가스공급 중단에 당황하며 러시아에 항의했다.

이 사건을 통해 러시아는 가스가격도 높이고 러시아가 보유한 자원의 힘도 확인할 수 있었다. 유럽 언론들은 러시아가 친서방 정책을 유지해 온 유센코 우크라이나 대통령에게 경고 메시지를 던진 것이라 분석한다. 러시아 국영가스사 가스프롬은 2007년 초에도 벨로루시와 그루지야에 가스가격을 올려주지 않으면 가스공급을 중단하겠다고 으름장을 놓아 가격을 인상시켰다. 에너지원이 정치 무기로 활용되고 있는 것이다.

알렉산더 매드베데즈 가스프롬 이사회 부의장은 다보스포럼에 참석해 "가스프롬은 두려움의 대상이 아니다"며 "위협을 준다기보다는 순전히 상업적인 이유에서 이익을 창출하려는 것일 뿐"이라며 숨은 의도를 감췄다.

가스공급 중단으로 어려움을 겪었던 우크라이나는 어떻게 생각할까?

빅터 야누코비치 우크라이나 총리는 “우크라이나는 러시아와 유럽의 연결고리 역할을 수행한다는 점에서 러시아와 매우 중요한 관계에 있다”며 러시아에 약한 모습을 보인다. 이미 힘의 논리에서 약자에 있는 우크라이나의 입장을 엿볼 수 있게 하는 대목이다. 유럽으로 공급되는 러시아 가스의 80%가 우크라이나를 거쳐 가고 있다.

계속해서 에너지 사용이 증가할 것으로 예견되고 있고, 그만큼 에너지 보유국들의 입김도 세지고 있다. 이로 인해 석유정치가 국제 사회의 헤게모니를 잡으면서 경계해야 할 대상이 되고 있다. 석유정치는 에너지와 환경문제 사이의 연결고리를 끊어야 해결할 수 있다.

해법으로 대두된 대체에너지 개발

‘석유정치’에 대항하는 에너지 수입국들의 해법은 무엇일까?

글로벌 리더들은 다보스포럼에서 가장 근본적인 해결책은 대체에너지 개발과 에너지 효율성을 높이는 일이라고 강조한다. 렉스 틸러슨 엑손모바일 회장은 “엑손모바일은 지난 20여 년간 지구온난화에 대해 연구해왔고 환경과 경제를 고려한 대처방법을 고려해왔다”며 대체에너지 개발이 시급하다고 말한다.

그는 “에너지 소비가 2030년까지 50% 이상 증가할 것”이라며 “이 중 80%가 화석연료에 의한 증가일 것”이라고 예상한다. 틸러슨 회장은 “대처 방법 중에서도 가장 근본적이고 손쉬운 방법은 에너지 효율성을 높이는 것”이라며 “에너지 효율성을 높일 수 있는 기술 개발이 현안”이라고 강조한다. 반 데어 비어 로열더치쉘 회장도 대체에너지 연구개발을 위해 전 세계가 나설 때라고 말한다.

에너지 소비가 급증하고 있는 중국이 에너지 효율성을 높이는 데 앞장서야 한다는 목소리가 높다. 중국의 에너지 효율성 향상만으로도 환경문제에 큰 도움이 될 수 있기 때문이다. 장 샤오창 중국 국가개발개혁위원회 부위원장은 “중국이 오염물 배출을 줄이고자 해도 시멘트와 철강 생산은 많은 에너지를 필요로 한다”고 항변한다.

그러나 중국의 에너지 효율성은 많은 기술을 보유한 서구에 비해 절반 정도 수준에 불과하다. 샤오창 부위원장은 “에너지 효율성 증진을 위해 선진국으로부터 기술전수가 필요하다”고 목소리를 높인다.

그는 또 중국이 온실가스를 줄이는 대책을 강구하고 있는 중이라고 말한다. 중국은 시민들의 승용차 사용을 제한하고 대중교통 이용을 독려하는 포괄적인 시스템을 도입하려 하고 있다. 또 ‘재생가능 에너지법’을 통해 에너지 재활용을 늘리고 있다. 샤오창 부위원장은 “중국 국가개발개혁위원회가 이산화탄소 배출 기준을 대폭 강화시킨 규제책도 탄소배출을 줄이는 데 도움이 될 것”이라고 전망한다.

에너지의 보고, 아프리카

신생 에너지 보유국을 찾아내라! 에너지 수출국의 파워가 강해짐에 따라 에너지 보유국에 대한 '러브콜'이 뜨겁다. 막대한 에너지원이 매장돼 있는 것으로 알려진 아프리카 대륙이 최고의 관심지역이다.

스티븐 로치 모건스탠리 수석 이코노미스트는 다보스포럼에서 새로운 천연자원 투자시장으로 아프리카를 손꼽는다. 그는 "아프리카에는 엄청난 천연자원이 매장돼 있지만 인프라스트럭처는 형편 없는 실정"이라며 투자를 통해 기회를 찾으라고 조언한다.

국제 에너지 가격은 지난 5년간 꾸준한 강세를 이어왔다. '석유

꾸준히 증가하고 있는 아프리카의 무역

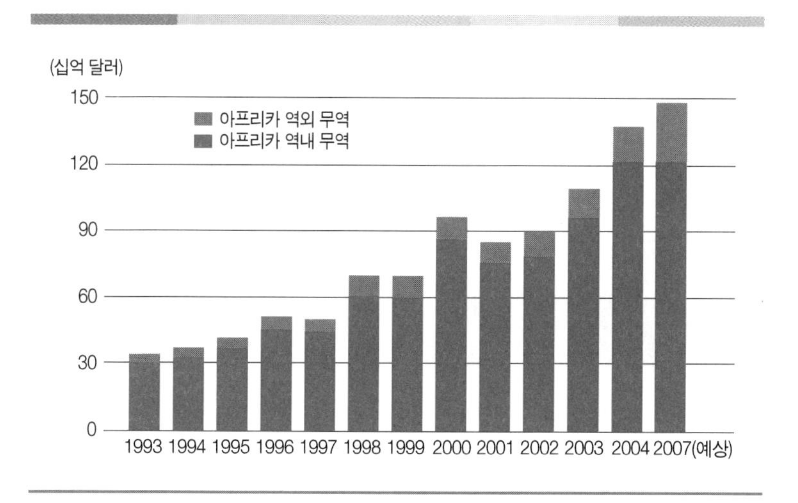

Source : IMF

세계 석유 매장량에서의 아프리카 비중

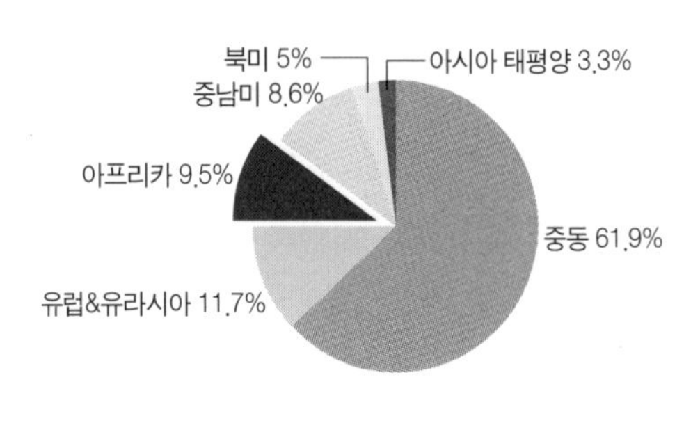

* 2005년까지 확인된 매장량

Source: WEP, BP, 2006

정치' 의 위력에 모든 국가들이 속수무책이었다. 그 결과 에너지 구매 국가들은 아프리카의 풍부한 천연자원에 눈을 돌리기 시작했다.

아프리카는 식민지 억압과 쿠데타, 그리고 끊임없는 분쟁의 역사를 지니고 있다. 그러나 아프리카가 '에너지 보고' 로 알려지면서 위상이 달라지고 있다. 아프리카 대륙의 에너지를 둘러싸고 세계 각국이 치열하게 경쟁을 벌이고 있기 때문이다. 아프리카에서 민주주의를 정착시키려는 지도자들의 리더십도 아프리카의 위상 변화를 이끌고 있다.

사하라 이남 지역의 아프리카 경제는 1990년대 평균적으로 2.4% 성장에 그쳤지만 2000년대 들어 4%대 성장을 이어가고 있다. 세계은행에 따르면 2005년의 경우 4.3%의 경제성장을 일궈냈다. IMF는 아프리카가 2006년 5.4% 성장한 데 이어 2007년 5.9% 경제성장을 기록할 것이라 예측하고 있다.

아프리카는 지난 2005년까지 확인된 세계 석유 매장량의 9.5%인 1,143억 배럴의 석유를 보유하고 있다. 발전의 무한한 가능성을 보여주고 있는 셈이다.

미국과 중국, 브라질 등 각국 정부는 이러한 아프리카 대륙의 주요 국가들을 동등한 파트너로 인식하기 시작했다. 무역과 원조, 테러방지 등의 다양한 목적을 위해서는 아프리카를 세계 주요국가와 동일한 위상으로 대해줘야 하기 때문이다.

오비아젤리 에젝웨실리 나이지리아 교육부 장관은 "아프리카는 이제 개발과 도약을 위해 신발끈을 조이고 있다"며 "외부 대륙과 적극적으로 협력 체제를 구축하기 위해 파트너를 찾고 있다"고 말한다. 그는 "다른 세계로부터 어떤 낙인이 찍히든지, 어떤 시선을 받든지 중요하지 않다"며 "앞으로 어떻게 주체적으로 움직이고 발전해 나갈 것인지를 고민할 때"라고 강조한다.

타보 음베키 남아프리카공화국 대통령은 "아프리카의 시대가 왔다"며 "아프리카 발전을 위해 새로운 파트너십이 필요하다"고 강조한다.

아프리카의 지속적인 성장을 돕기 위해서는 국제 사회의 협력이 중요하다는 입장도 있다. 앙겔라 메르켈 독일 총리는 "아프리카 대륙에 대한 투자를 늘려 경제성장의 발판을 마련하도록 도와야 한다"고 말한다. 그는 "아프리카는 발전하고 있지만 세계 에이즈 환자 4,000만 명 중 70%가 아프리카에 살고 있어 아직 문제점이 많다"며 "국제 사회의 도움이 절실하다"고 강조한다.

아프리카에 보내는 중국과 미국의 '러브콜'

아프리카와의 협력관계 구축에 가장 적극적인 나라는 단연 미국이다. 이는 전략적인 측면이 강하다. 아프리카 지도자들과 협력해 테러리스트들의 근거지를 찾는 것이 그 한 가지고, 중동 다음으로 많은 석유를 매장하고 있는 아프리카 국가들의 안정을 돕는 것이 또 다른 한 가지다.

리처드 하스 미국 국제관계위원회 위원장은 "아프리카와의 관계 강화에는 걸림돌이 별로 없다"며 "미국 석유기업들은 아프리카에 2010년까지 300억 달러를 투자할 계획"이라고 말한다. 이에 대해 제임스 존스 미군 유럽사령부 사령관은 "미국은 아프리카와의 관계를 독점하려 하고 있다"고 비판한다.

나토(북대서양조약기구) 회원국들도 아프리카 지역에서의 위협에 대처하기 위해 아프리카와 협력관계 구축에 나서고 있다. 나토는 아프리카 지도자들에게 정보를 제공하고 그들의 결정을 돕는 역할을 하고 있다. 또 나토는 냉전시대의 사고에서 탈피해 인도주의적인 차원에서 아프리카를 돕겠다고 천명하고 있다.

하스 위원장은 아프리카에 진출하는 국가들이 '도박'은 피해야 한다며 "바깥 세계에서 벌어지는 일이 아프리카에 큰 영향을 미칠 수 있다"고 경고한다. 그는 특히 "아프리카의 미래가 미국과 중국의 관계에 달렸다"고 주장한다. 국가 간의 경쟁으로 아프리카가 혼란에 빠지는 것을 미국이 막아내는 데 앞장서야 한다는 지적이다.

중국과 아프리카의 무역

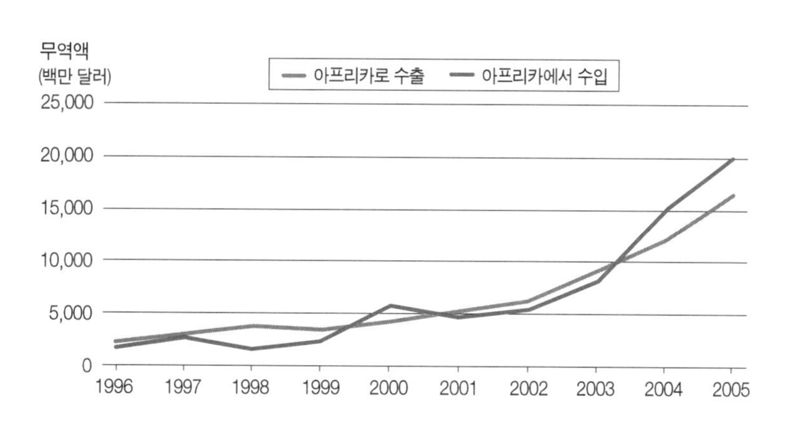

Source : WEF, IMF

중국과 아프리카의 관계도 빠르게 발전하고 있다. 지난 2006년 중국과 아프리카 간 무역액은 555억 달러로 전년보다 40% 이상 크게 늘었다. 2006년 말까지 중국의 아프리카 투자는 66억 4,000만 달러를 기록했으며 꾸준히 증가추세에 있다.

아드왈레 티누부 나이지리아 오안도그룹 CEO는 중국과의 관계에 긍정적인 시각을 보인다. 그는 "중국은 20억 달러에 이르는 차관을 아무런 조건 없이 앙골라에 제공했다"며 "아프리카 국가들은 미국 · 유럽과의 관계에 상관없이 중국의 원조를 환영하고 있다"고 말한다. 중국은 이 같은 노력을 통해 나이지리아의 유전을 확보했으며, 철도도 건설 중이다.

그렇다면 아프리카 자원개발은 이미 포화상태에 이르고 있지는 않을까?

프랑스의 거대 정유업체인 토탈의 티에리 데마레 최고경영자는 "아프리카는 아직도 개발할 공간이 많이 남아 있다"고 진단한다. 2006년 세계 석유 생산의 11%를 담당한 아프리카는 수년 내 13%까지 오를 것으로 전망하고 있다. 또 아프리카는 해외에서의 투자에 대해 다른 개도국들보다 열린 자세를 보이고 있다.

아프리카 개발이익의 환수도 관심의 대상이다. 데마레 사장은 "어떤 방식을 이용해 이윤을 복지로 전환할 것인지가 관건"이라며 "풍부한 천연자원으로 아프리카인들이 가난을 극복할 수 있도록 지원해야 할 것"이라고 말한다. 스티븐 로치 수석 이코노미스트는 "아프리카에서 당장 자원을 확보하려고 하기보다는 아프리카를 좀 더 이해하는 노력이 선행돼야 한다"고 지적한다.

에너지 안보에 몰두하는 미국

에너지 독립은 비현실적인 목표일까? 미국은 자원의 매장량이 상당함에도 불구하고 실제 외국 에너지에 의존하고 있다. 완벽한 에너지 독립보다는 에너지 안보를 추구하고 있는 것이다.

에너지 안보는 에너지의 가격 변동을 최소화하고 공급량을 보장받는 데 초점이 맞춰져 있다. 이를 위해 에너지 수입국은 에너지 생산국과의 관계를 강화하고 에너지 수입국을 다변화해야 하며, 자국 내의 에너지 수요를 줄여야 한다. 에너지 안보는 에너지 생산국을 이해하고 협력하면서 얻어지는 것이며 상대국을 위협하거나 통제하면서는 얻을 수 없는 목표다.

다보스포럼은 세계 최대 에너지 소비국인 '미국의 에너지 안보론'을 조망하고 있다. 조망의 핵심은 에너지 안보와 기후변화의 연관성에 대한 것이다.

현재 미국은 전력공급의 50% 이상을 화석연료에 의존하고 있다. 그러나 미국은 이산화탄소의 억제를 위해 원자력 발전소를 점차 늘리고 있는 실정이다. 원자력 발전은 이산화탄소 억제를 위한 가장 효과적인 방법이기 때문이다.

다보스포럼은 원자력을 이용하면 10년에서 15년 내에 이산화탄소 문제가 해결될 것으로 기대하고 있다. 나아가 에탄올을 대체 에너지로 활용하는 방안은 정치·경제적인 혼란을 야기할 수 있다고 경고한다.

탄소를 줄이기 위한 노력들

기후변화의 핵심은 이산화탄소를 줄여 지구온난화를 막는 일이다. 이에 따라 다보스포럼은 이산화탄소를 줄이는 가장 효과적인 방법인 원자력의 활성화를 촉구하고 있다.

논의의 핵심은 과도한 핵폐기물 안전기준을 완화해 원자력 발전을 활성화해야 한다는 것이다. 지하 깊숙이 묻어 1만 년을 버텨야 하는 핵폐기물 안전 표준은 많은 비용을 발생시키기 때문이다. 다

세계의 이산화탄소 배출현황과 전망

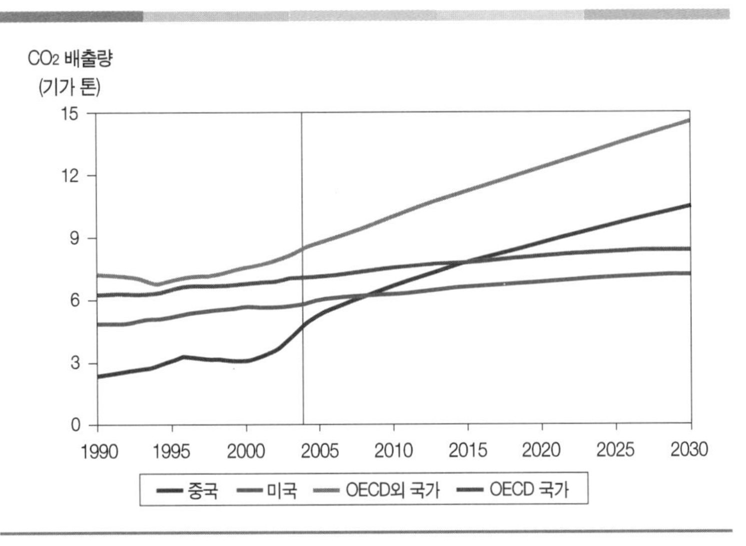

Source : 국제에너지기구

보스포럼의 글로벌 리더들은 한 층 정도의 깊이에 핵폐기물을 저장해 놓고 혹시 발생할지 모를 문제에 대비해 계속 감시 작업을 벌이면 될 것이라고 제안한다.

화석연료 발전소에서 이산화탄소를 따로 제거하는 방법도 현실성 있는 대안으로 꼽힌다. 화석연료를 태우며 가스화가 진행될 때 이산화탄소를 따로 분리하고, 이를 압축해서 응결시켜 저장해 놓으면 대기 중에 이산화탄소가 배출되지 않는다.

중국은 이미 이 방식을 연구하고 있다. 그러나 이 방식은 석유가 배럴 당 55달러까지 올라야 경제성을 확보할 수 있다. 석유 가격이 하락하면 경제성을 확보하지 못한다. 에너지 효율성을 높이기 위해 이산화탄소에 세금을 매기는 방안도 고려되고 있다. 이산화탄소 배출에 세금을 부과하면 이산화탄소를 배출하는 기업이나 개인이 에너지 효율성을 높이는 데 적극적으로 나설 것으로 기대된다.

하지만 이산화탄소 세금은 이산화탄소를 배출하는 모든 부문에 부과해야만 눈에 띄는 변화가 있을 전망이다. 생산과정에서 이산화탄소를 배출하는 기업이나 차량을 운전하는 개인에게도 부과해야 한다는 지적이다. 그러나 세금 부담에 대한 반발이 걸림돌이 될 전망이다.

단순히 세금 부담뿐만 아니라 지역 차별에 대한 불만도 우려된다. 미국 중서부 지역은 다른 지역보다 화석연료에 더 많은 의존도를 보이고 있기 때문이다. 다보스포럼의 한 참석자는 "세금을 매길 때 유권자들은 평소 지지하던 정당이 아니라 사는 지역에 따라 투표하게 될 것"이라고 예측한다.

대중교통 이용 증대를 위한 기금을 마련해야 한다는 제안도 나오고 있다. 미국에서는 이미 매년 의회의 투표로 결정되는 교통 특별 기금들이 있다.

그러나 이러한 특별 기금은 항공 운항이나 고속도로 관련 비용에 주로 이용되고 있다. 이들은 공통적으로 화석연료 사용과 이산화탄소 배출을 줄이는 데에 큰 도움이 되지 않는다.

정부의 역할을 강조하는 의견도 대두되고 있다. 시장기능과 정부규제로 나누는 이분법적 구분에서 벗어난 에너지 정책이 필요하다는 주장이다. 정부는 대체 에너지 개발을 연구하는 기관 설립에 지속적으로 투자해야 한다. 현재 미국 의회는 2년 단위로 이러한 연구기관에 대한 기금을 마련하고 있지만 부족한 실정이라고 참석자들은 입을 모으고 있다.

효율성 제고를 위해 에너지 절약 정책도 깊이 고려해야 한다는 주장도 있다. 만약 냉장고를 소유하고 있는 개인에게 에너지 절약장치를 설치하라고 주문한다면 좋은 결과를 얻지 못할 것이다. 장비 설치를 위해 개인의 돈을 직접 지불해야 하기 때문이다.

그러나 정부가 정책적으로 냉장고 생산자에게 에너지 절약장치 부착을 의무화하면 개인들이 이를 받아들이는 데 대한 거부감도 줄어든다. 의회는 이와 같은 방식을 통해 에너지 절약에 적극 나서야 한다는 주장이다.

3

비국가적 행위자의 맹위

과거 국제관계는 국가가 주인공이었다. 국제관계 대부분이 국가들 간의 정치적, 외교적 정책과 채널을 통해 이뤄졌다. 하지만 사회가 국제화되고 복잡해지면서 국경을 초월한 다국적기업과 국제단체, 개인, 민간단체, 테러조직, 다시 말해 비국가적 행위자들*이 생겨났다. 특히 통신수단과 정보네트워크의 발달은 이들의 활동공간을 무한대로 확대해주고 있다.
무소불위의 힘을 과시하는 비국가적 행위자는 과연 통제할 수 없는 걸까?

테러로부터 지구를 지켜라

한 해 테러로 죽는 사망자 수는 얼마나 될까? 미국 국무부는 2005년 4월에서 2006년 4월까지 한 해 동안 무려 1만 4,600명이 테러로 사망했다고 발표했다. 이 기간 동안 1만 1,111회의 테러가 발생했고 이 테러로 인한 사망자와 부상자, 납치를 당한 사람을 모두 합치면 7만 4,087명에 이른다. 2000년에는 423회의 테러가 발생하고 405명이 희생됐다. 불과 5년 만에 엄청난 속도로 테러피해가 증가한 것이다.

마이클 체토프 미국 국토안보장관은 "신기술의 급속한 발전과 이에 대한 폭넓고 용이한 이용가능성 때문에 이제 테러는 특정인만 이 행할 수 있는 것이 아니다"며 "우리가 100년 전까지만 해도 전혀 예측하지 못했던 강력한 방식의 테러가 일어나고 있다"고 진단한다.

이에 따라 21세기 인류는 매우 험난한 시대를 살게 됐다고 그는 단언한다. 신기술은 국제적 테러 행위와 이런 테러에 대한 각국 정부들의 대응정책을 바꾸고 있다. 9·11과 같은 테러는 보안 정책 강화가 그 어느 때보다도 필요하다는 사실을 여실히 증명하고 있다. 미국이 풀어가는 초점은 위기관리(Risk Management)에 있다.

영국 보수당 당수인 데이비드 카메론은 "지금 우리에게 필요한 것은 비합리적이고 비효율적인 권위주의가 아니고 빈틈 없는 자유의 수호책 마련"이라고 강조한다. 샤우카트 아지즈 파키스탄 총리는 테러의 근원 축출을 강조한다. 그는 "테러는 어떠한 종교적 신념과도 무관하며 국경을 넘어서 행해진다"며 "미래에 대한 희망이 없고 발전의 기회를 찾지 못하는 사람이 일으키는 불장난"이라고 진단한다.

비국가적 행위자(Non-state Actors)

국가가 아닌 집단, 즉 국제이익집단과 다국적기업, 각종 국제기구, 범죄단체, 종교집단 등의 비정부 관련 권력집단을 일컫는 말. 이들 기관은 주권을 가진 국가와 독립적인 관계에 있지만 막강한 세력을 앞세워 국가권력을 제한하는 비국가적 행위자로 활동하고 있다.
특히 비정부기구(NGOs)와 비정부간국제기구(INGOs)는 정부간국제기구(IGOs)와 직접 상호작용하거나 나아가 이들과 연합함으로써 영향력을 행사한다. 테러집단은 자신의 이익을 위해 무력을 행사함으로써 파워를 과시하기도 한다.

테러를 어떻게 막을 것인가?

그렇다면 어떻게 효과적으로 테러에 대처할 것인가? 다보스포럼은 전 세계가 테러 응징에 대한 강한 의지를 보일 때라고 강조한다.

데이빗 로스코프 가튼 로스코프 CEO는 "웹2.0처럼 더 많은 일반 개개인이 대량살상무기(WMD)를 사용할 수 있게 됨에 따라 위협이 점점 증가하고 있다"며 "핵확산방지조약 2.0시대가 도래했다"고 말한다.

이에 대해 체토프 장관은 "국제 사회가 국경을 초월해 살상무기 사용에 대한 규제를 강화하고 테러 근절에 대한 강한 의지를 보여야 할 때"라고 강조한다. 그는 이어 "세계적 의지를 보이기 위해

지역별 테러 발생 비율

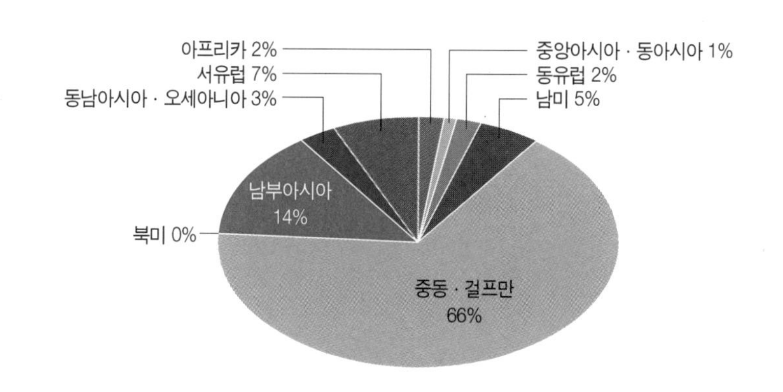

Source : 미 테러방지연구소, 2005

반드시 강한 채찍을 사용해야 한다"고 주장한다.

기스 드 브리스 유럽연합이사회 대테러전문가는 "EU는 테러범에 대한 보안을 강화하기 위해 여권에 지문(생체)인식식별과 얼굴사진 이미지 등의 정보를 내장하는 방안을 검토하고 있다"고 설명한다. 국제형사경찰기구 인터폴은 분실여권에 대한 글로벌 데이터베이스를 구축할 계획이다.

드 브리스는 "EU가 이를 위해 인터폴에 힘을 실어주고 있고 각국 경찰청에도 협조를 요청하고 있다"며 "미국은 이미 지문검색시스템을 도입해 용의자 체포에 성공하기도 했다"고 소개한다.

'불량국가'의 핵무기

핵무기가 9 · 11 테러를 일으킨 테러리스트들의 손에 들어가면 어떻게 할 것인가? 이 상황을 막기 위해서는 무엇을 해야 하는가? 국제 사회는 이와 같은 두려움을 극복하기 위해 많은 고민을 하고 있다.

미국이 불량국가(Rogue State)*로 지정한 이란과 북한은 지난 2006년 핵프로그램으로 국제 사회를 위협했다. 패널리스트들은 이 두 국가가 서로 다른 점을 갖고 있다고 말한다.

제임스 호지 포린어페어매거진 편집장은 "이란이 갖고 있는 핵폭탄은 북한의 핵폭탄보다 훨씬 위험하다"고 말한다. 모하메드 엘바라데이 IAEA 사무총장은 "이란의 미래에 대한 질문을 자주 듣는

“

이란의 핵프로그램이
무기 제작을 위한 것이라는
증거가 없다. 군사적 제재보다
정치적 해결이 중요하다.

”

모하메드 엘바라데이, IAEA 사무총장

다”며 “이란이 자칭하는 평화적 핵프로그램이 무기 제작을 위한 프로그램이라는 증거는 없다”고 말한다. 그러나 그레이엄 알리슨 하버드대 교수는 “이란은 고대하던 핵보유국에 가까워졌다”면서 “결승선에 근접했다”고 단언한다.

압둘 아지즈 사거 걸프리서치센터장은 “이란에 대한 정보 중에 어떤 것을 믿어야 하는지 모르겠다”며 “말을 듣는 사람들에게 신중하게 말해야 한다”고 말한다. 2003년 이라크 침공 당시 미국은 이라크에 대량살상무기가 있다고 주장했었기 때문이다. 그는 “이란이 자국 내의 헤게모니만을 주장하면서 인근지역을 위협하는 미사일 실험을 강행하는 것은 이웃국가에 잘못된 행동을 하고 있는 것”이라고 비판하고 있다.

알리슨 교수는 국제 사회가 연합해 이란의 핵보유 계획에 더 강하게 대응해야 한다고 주장한다. 호지 편집장은 “이러한 모든 것이

실패하면 군사적인 제제가 가능할 것"이라고 말한다. 하지만 이 제안에 대해 슈캇 아지즈 파키스탄 총리와 엘바라데이 사무총장, 사거 센터장은 강하게 반발한다.

아지즈 총리는 "군사적인 제제는 선택 사항이 아니다"라며 "그 결과는 지역뿐 아니라 전 세계의 파멸을 초래할 수 있다"고 군사 행동의 위험성을 질타한다. 엘바라데이 사무총장은 "군사적 제재가 아닌 정치적 해결에 초점을 맞춰야 한다"고 강조한다.

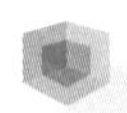

불량국가(Rogue State, 不良國家)

1991년 소련이 붕괴된 뒤, 즉 냉전 이후 새로운 적을 규정하기 위해 미국이 만들어낸 용어로, 자유민주주의의 이념을 위협하고, 세계평화와 공존을 위협하는 제3세계 국가들을 지칭하는 말.

미국이 '악의 축'으로 규정한 이라크 · 이란 · 북한 외에 쿠바 등 제3세계 국가들이 이에 해당한다. 단순히 마약밀매나 국제테러와 같이 범죄를 저지른 나라만이 아니라, 미국의 명령을 거부한 나라들도 포함된다.

VI 리스크와 미래경영

WORLD
ECONOMIC
FORUM
COMMITTED TO
IMPROVING THE STATE
OF THE WORLD

“스타를 초대하는 것이 WEF의 정책은 아니다.
우리의 정책은 전문화된 세션에 공헌할 수 있는
사람들을 초대하는 것이다.”

클라우스 슈밥, 세계경제포럼 창설자
지난해에 비해 유명인사들이 덜 참석했다는 지적에 대해 답하며.

“먼저 규제부터 해야 한다.
그 다음에 풀어주던가 해야 한다.”

댄 에스티, 미국 법률전문가
기후변화에 대한 규제를 강화하라고 주장하며.

“화석연료는 내게 미국 패스트푸드와 같다.
싸고 양이 많지만 건강에 좋지 않고,
우리의 땅을 파괴하는 아주 비 경제적인 공통점이 있다.”

비노드 코슬라, 선마이크로시스템스 창업자
화석연료에 대해 언급하던 중.

1

글로벌 리스크의 위협

오일 파동은 1조 달러의 경제 손실을 초래할 수 있다. 사스(SARS)보다 더 치명적인 신종 바이러스가 지구를 습격할 수도 있다. 대형 헤지펀드들이 갑작스런 자산의 가치하락으로 몰락할 수 있다. 고령화 사회로의 인구구조 변화는 선진국들을 재정위기로 몰아넣을 수 있다. 기후변화는 향후 10년간 최대 2,500억 달러의 경제손실을 불러올 수 있다.
과연 지구촌은 리스크의 위협에서 벗어나 미래경영을 할 수 있을까?

오일 파동이 세계 GDP 5% 날린다

지구촌에 어떤 위험들이 다가오고 있을까?

다보스포럼은 경제, 환경, 지정학, 사회, 기술 등 5개 분야에 걸쳐 23대 핵심 글로벌 리스크(Core Global Risk)를 제시하고 있다. 다보스포럼은 우선 경제 리스크로 오일쇼크, 미국 달러화 약세 지속, 중국 경제의 경착륙, 인구변화에 따른 선진 8개국(G8)의 재정위기, 부동산 버블 붕괴를 꼽고 있다.

증가하는 수요를 충족하기 위해 2015년까지 석유 공급 능력은

2007년 23대 글로벌 리스크

경제 리스크	환경 리스크	지정학적 리스크	사회적 리스크
오일쇼크 · 에너지 공급 중단	기후변화	국제 테러리즘	전 세계 전염병
미국 달러화 약세	물공급 부족	대량살상 무기(WMD) 확산	개도국 질병
중국경제 경착륙	열대폭풍	국가간 전쟁과 내전	선진국의 만성질환
고령화 따른 재정적자 위기	홍수 발생	정부의 통치능력 상실	법률시스템에 대한 이견
부동산 버블 붕괴	지진	범국가적 범죄와 부패	**기술적 리스크**
		중동지역의 불안정	정보 인프라의 붕괴
		세계화의 후퇴	나노기술 리스크의 출현

글로벌 리스크의 경제 손실

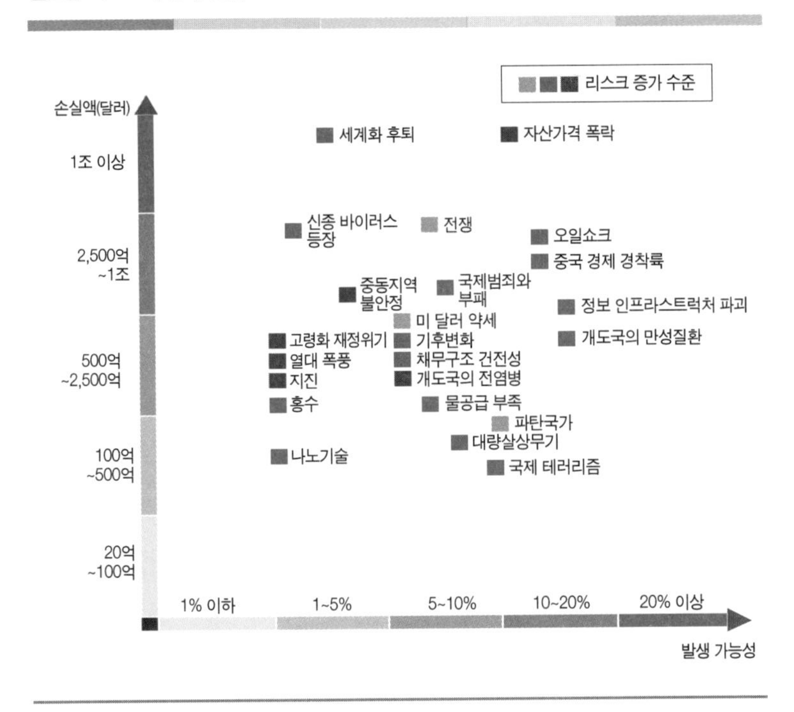

Source : WEF

25% 늘 것으로 예상되지만 테러와 투기적 거래는 에너지 시장을 쇼크로 내몰 수도 있다고 경고하고 있다.

특히 2002년 이후 미국 달러화의 무역가중 환율(Trade-weighted Real Exchange Rate)은 23%나 평가절하됐는데도 불구하고 미국의 경상적자를 고려할 때 달러화 약세가 계속될 것으로 전망되고 있다. 이에 따라 기업과 국가에게 '달러 리스크'에 대한 전략이 필요할 것이라고 지적하고 있다.

다보스포럼은 고령화와 헬스케어 예산의 증가라는 장기 도전에 직면한 G8의 재정위기를 리스크로 진단하고 있다.

또한 지난 10년 동안 대부분의 선진국은 물론 신흥국가의 부동산 값에 거품이 생겼다며 '가계소득에 대한 주택가격 비율, 즉 PIR(Price to Income Ratio)'이 위험수위를 넘어서고 있다고 분석하고 있다. 전문가들은 버블 붕괴가 경제성장과 소비패턴, 다른 자산가치 하락에 충격을 줄 것이라고 예견하고 있다.

중국경제의 경착륙에 따른 우려도 높다. 다보스포럼은 중국이 투자와 수출주도형 국가로 수출규모를 팽창하면 역으로 미국 등의 시장에서의 반작용을 초래할 수 있고, GDP의 40%가 넘는 과도한 투자는 투자과잉 사태를 초래해 심각한 부작용으로 나타날 수 있다고 분석하고 있다.

다보스포럼은 기후변화, 물 부족과 함께 자연 이변 현상으로 열대 폭풍, 지진, 내륙 홍수(Inland Flood) 등의 환경 리스크가 예상된다고 진단하고 있다. 이산화탄소의 과다한 방출은 지구 온난화를 촉진시키고, 북대서양의 허리케인을 점점 강력하게 만들며, 바다표면 온도를 뜨겁게 해 열대 폭풍우의 리스크를 높이고 있다.

다보스포럼은 이 같은 기후변화가 매년 세계 GDP 5%의 손해비용을 유발하고 있다고 진단하고 있다.

다보스포럼은 지정학적으로는 ① 국제 테러리즘의 증가 ② 대량살상무기(WMD)의 확산 ③ 국가 간 전쟁이나 내전 ④ 소말리아, 아프가니스탄, 파키스탄 같은 파탄국가(Failed State) ⑤ 범죄와 부패의 확산 ⑥ 세계화의 후퇴 ⑦ 중동지역의 불안정 등 7대 위험이 지구촌을 위태롭게 하고 있다고 진단한다.

2006년 이라크에서 발생한 내전을 비롯해 북핵사태로 촉발된 한반도의 긴장관계, 이란의 핵프로그램 확대, 중동에서의 긴장이 지구촌 평화의 화근이 될 수 있다고 내다보고 있다.

다보스포럼은 국제적 규모의 전염병, HIV(후천성면역결핍증)처럼 확산되는 개도국의 질병과 같은 신종 바이러스의 탄생도 지구의 안전을 위협할 수 있다고 전망한다.

다보스포럼은 지구촌이 다가올 '리스크 쇼크'를 효과적으로 대처하기 위해 '국가위험관리 책임자(CRO, Country Risk Officer)*'를 임명할 것을 촉구하고 있다. 이를 통해 다가올 지구촌 리스크를 최소화할 '지구촌 리스크 관리 프로그램'을 서둘러 마련하라고 권고하고 있다.

CRO는 모든 국가가 기업의 '위험관리 최고책임자(CRO, Chief Risk Officer)'처럼 국가의 위험관리를 전담하는 '국가위험관리 책임자(CRO)'를 말한다. CRO는 서로 다른 이해관계 집단 간 일련의 리스크를 관리할 구심점 역할을 하게 된다. 국가가 우선적으로 처리해야 할 리스크의 우선순위를 정해 리스크를 극복하기보다는 효과적으로 관리할 수 있도록 도와준다.

다보스포럼은 또 다른 제도혁신으로 이해관계를 함께하는 국가와 기업들로 구성된 일종의 전위대(Avant-garde)로 '자발적 협력체(Coalition of the Willing)'의 결성을 제안하고 있다. 지구촌의 어떤 단체도 글로벌 리스크를 효과적으로 낮출 수 있는 능력을 갖고 있지 않기 때문이다. 따라서 세계는 리스크를 완화하는 공동의 책임을 공유할 수 있어야 한다.

국가위험관리 책임자(CRO, Country Risk Officer)

CRO란 기업의 '위험관리 최고책임자(CRO)'와 같은 역할을 하는 공무원으로 국가 전역에 도사리고 있는 위험요소를 분석하고 우선순위를 정해 관리하는 일을 하게 된다. 또한 리스크의 측정, 관리, 전이 등과 관련된 민간 기법을 연구하며 대립되는 정부 부처 간의 이기주의를 조정하는 역할을 하게 된다.
다보스포럼은 CRO를 임명하면 국가 간 리스크 공동 대처를 위한 협력체제 구축에 도움을 줄 뿐만 아니라 국가 간 CRO 모임이 글로벌 리스크를 완화시킬 구심체가 될 수 있다고 강조하고 있다. 컨트리 리스크는 국가 신용도를 결정하는 중요한 요소이기 때문에 향후 이들 CRO의 역할이 확대될 것으로 보인다.
기업의 CRO는 경영활동을 둘러싼 모든 위험 요소들을 사전에 숙지 · 대응하고 원천적 봉쇄와 어떤 충격에도 흔들리지 않는 조직을 만드는 데 중요한 역할을 한다. 기업 CRO는 부도 방지와 신용도 위험 방지, 산업스파이와 기업 내 기밀 유출 방지, 불매운동 방지와 PL(제조물 책임) 소송 등을 담당한다.

에너지 재앙의 위협

테러리스트들이 중동을 공격해 영구적으로 미국에 대한 원유 공급이 3분의 1로 줄어든다면, 당신의 회사는 어떻게 대응할 것인가? 국제 원유 공급이 위기에 처할 것이고 세계경제를 공황으로 몰아넣을 수 있다.

다보스포럼은 이 같은 시나리오를 염두에 두고 지속적이고 안정적인 석유조달 계획을 세울 것을 촉구하고 있다.

특히 기업들은 만일의 사건을 대비해 유연한 에너지 대책을 수립해야 한다. 이때 고민해야 할 것이 바로 에너지 효율성 증진이다. 전문가들은 에너지 효율성을 높임으로써 에너지 비용을 크게 낮출 수 있다고 강조하고 있다.

다보스포럼은 에너지 재앙이 몰고 올 시나리오를 제시할 필요가 있다는 의견을 내놓고 있다. 기업들은 비즈니스 모델의 재고와 동시에 에너지 재앙이 몰고 올 막대한 비용과 새로운 기회에 대해 고민할 필요가 있다.

전력문제와 관련한 자가 전력의 확보도 관심사다.

자가전력(Micropower)은 기업들이 전력 공급 중단으로 발생할 수 있는 충격을 완화할 수 있는 가장 효율적인 방법이다. 자가전력은 자기 소유 발전소에서 공급되는 전력으로 전력 손실, 지역 붕괴, 자연 환경 보호 등의 이유로 관심이 높아지고 있다. 자가전력 시설을 갖추면 전력 공급원과 관계없이 양질의 전력을 지속적으로 공급할 수 있다.

에너지 위기가 발생할 때는 신속히 대응 팀을 만들어 단기는 물론 중장기 대책을 수립해 설비 가동에 차질이 없도록 해야 한다.

중요한 것은 위기 속에 새로운 기회가 숨어 있다는 점이다. 기업들은 공공의 우려에 효율적으로 대응하는 과정에서 새로운 기회를 찾아낼 수 있다.

소비자들의 에너지 사용이나 기후변화에 대한 태도를 변화시키는 기업들은 소비자들이 그들 스스로 문제를 해결하도록 내버려둬서는 안 된다. 기업들의 이 같은 활동은 위기가 발생했을 때 좋은 결과로 나타난다.

미디어도 소비자들이 탄소발생량이 낮은 제품을 사용하는 데 앞장설 수 있도록 동기부여를 하는 등 나름대로의 역할을 해야 한다.

기후변화와 지구촌

'기후변화가 인류 최대의 숙제임을 명심하라'
다보스포럼의 글로벌 리더 2,500여 명은 기후변화가 '힘의 균형'을 깨는 가장 강력한 요소가 될 수 있다고 지적한다. 인류가 정복하기 시작했던 자연이 이제는 역으로 사람을 지배하기 시작했다는 분석이다. 기후변화는 자연에 도전장을 낸 인간의 파워를 되가져 가고 있음을 시사하는 '거대한 힘의 이동'이다. 과연 기후변화를 어떻게 다스려야 할 것인가?

기후변화는 인류 최대의 숙제

인류의 밝은 미래를 보장하기 위해서는 기후변화를 하루 빨리 해결하지 않으면 안 된다.

다보스포럼의 2,500여 글로벌 리더들은 기후변화를 지구촌의 최우선 해결과제로 꼽는다. 앙겔라 메르켈 독일 총리도 다보스포럼 개막 연설에서 세계가 직면해 있는 두 가지 최대 도전은 기후변화와 에너지 안보라고 규정했다. 그는 특히 "우리는 온실가스를 배출하는 모든 사람을 포함하는 구속력 있는 체제를 필요로 한다"며 "전 세계 온실가스 배출량 중 EU가 15%를 차지하고, 점점 그 비율이 줄고 있기 때문에 이는 세계가 책임져야 할 문제"라고 강조했다.

토니 블레어 영국 총리는 "기후변화, 국제무역, 그리고 아프리카가 지구촌 3대 키워드가 될 것"이라며 "기후변화에 대한 미국의 태도가 획기적으로 바뀌고 있다"며 기후변화에 대한 국제 사회의 대응을 낙관적으로 바라본다.

'리더들의 목소리(Voice of the Laders)'라는 제목으로 실시된 설문조사에는 2007연차총회에 참석한 글로벌 리더 2,500여 명이 참여했다. 설문 결과에서 눈에 띄는 점은 기후변화 문제가 2006년에 비해 중요성이 크게 부각됐다는 사실이다.

2006년 다보스포럼 연차총회 참석자 중 9%만이 기후변화를 가장 중점을 둬야 할 문제로 꼽은 데 반해 2007년에는 2배가 넘는 20%가 선택했다. 1년 사이에 기후변화 문제 해결이 시급하다는 인

'리더들의 목소리' 주요 내용

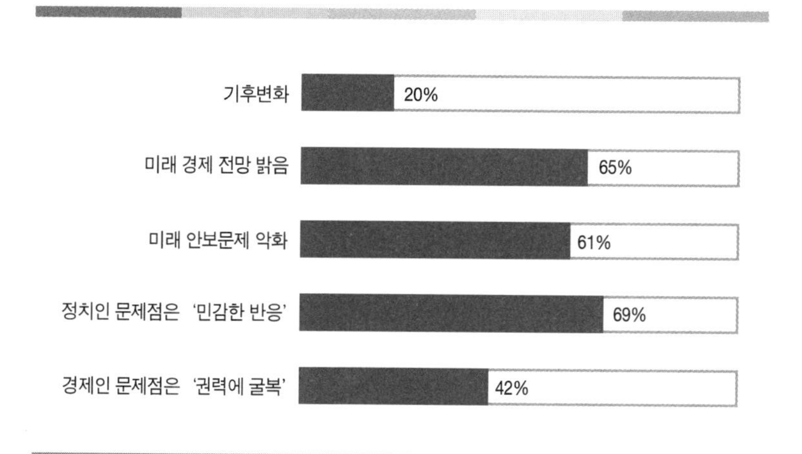

"

기후변화, 국제무역, 아프리카가
지구촌 3대 키워드가 될 것이다.

"

토니 블레어, 영국 총리

식이 급증한 것이다.

미래 경제에 대해서는 2006년과 마찬가지로 낙관하고 있는 것으로 나타났다. 미래 경제 전망이 긍정적이라는 답변은 65%에 이른다. 또한 12% 참석자들이 현 상태가 유지될 것으로 내다봤으며, 19%는 현재보다 좋지 않을 것으로 답했다.

글로벌 리더 중 69%는 정치인들이 지나치게 민감하다고 비판한다. 표를 의식해 유권자들의 의견에 필요 이상으로 예민하게 대응한다는 것이다.

정치인이 비판받는 이유로는 52%가 권력층의 압력에 굴복하는 점을 꼽았으며, 43%는 정직하지 못한 점을 지적했다. 공공기관이 신뢰를 회복할 수 있는 방법을 묻는 설문에 연차총회 참석자 중 59%는 투명한 행정을 꼽았다. 또 23%는 공공기관이 유권자들과 관계를 새롭게 정립해야 한다고 주장한다. 경제계 인사들 스스로가 지적한 문제점으로는 42%가 권력층 압력에 굴복하는 것을 꼽았다.

기후변화에 따른 역효과와 화석연료, 물에 대한 접근 제한은 전쟁과 폭동을 유발할 잠재력을 안고 있다. 전 세계적 기온의 상승은 기상 패턴, 해수면의 높이, 물 확보 등에 심각한 영향을 미치고, 그 결과 경제와 사회를 불안정하게 만들 수 있다.

기업들은 온실효과의 주범인 탄소 사용량을 줄이기 위해 탄소와의 전쟁을 벌이고 있다. 머지않아 기업들에겐 이산화탄소 배출권을 사야 할 때가 온다. 기업들이 비용 문제 때문에 환경친화적인 경영을 늦출 경우 고객들을 빼앗길 수 있고 고객 스스로도 환경경영을 외면하는 기업을 떠날 수 있다.

기후변화와 관련해 범국가적인 로드맵이 부실한 것도 CEO들의 불안을 더욱 증가시키고 있다.

환경문제 해법은?

다보스포럼에 참석한 글로벌 리더들은 환경문제와 관련한 사회책임경영을 강조하고 있다.

네빌 아이스델 코카콜라 회장은 "온실가스 방출량과 물의 사용량을 줄여 환경오염 방지에 기여하겠다"는 입장을 분명히 하고 있다. 그는 "코카콜라는 매년 사용하는 물의 양을 약 4%씩 줄이고 있다"며 "환경족적(Environmental Footprint)을 낮추기 위해 지속적으로 노력할 것"이라고 강조한다. 또한 코카콜라는 그린피스와의 협력을 통해 에너지 사용량이 적은 냉각 장비를 배치하는 한편, 오존층 파괴와 관련이 있는 클로로플루오로카본(CFC)을 사용하지 않는다고 설명한다.

특히 미 공화당의 존 매케인 상원의원, 장 샤오창 중국 국가개발개혁위원회 부회장, 몬텍 알루왈리아 인도개발위원회 부회장 등 주요국 핵심인사들도 "기후변화 문제는 글로벌 경제가 지속가능한 성장을 하기 위해 해결해야 할 근본적으로 중요한 과제"라는 점을 강조하고 있다.

듀크 에너지 사의 제임스 로저스 회장은 "향후 미국은 온난화의 주범인 온실가스를 배출하지 않는 핵연료의 최대 전성기를 맞을 것"이라고 전망한다.

온실가스 규제에 대한 미국의 미온적 태도를 비난하는 여론도 높다. 데이비드 빅터 스탠포드대 교수는 "미국이 온실가스 규제에 적극 동참하지 않는 한 가스배출 억제를 위한 틀을 만드는 것이 현실적으로 불가능하다"며 "지난 1997년 온실가스 배출을 규제한 교토의정서는 각국의 다른 배경과 기술을 충분히 감안하지 않고 있어 유연성이 부족하다"고 비판한다.

이에 따라 그는 개발도상국이 배출가스량을 줄일 수 있는 차별화된 에너지 구조를 갖추도록 지원하는 데 역량을 집중해야 한다고 강조한다.

호주 시민환경단체 이지빙그린(Easy Being Green)의 닉 프랜스 회장은 "친환경 경영을 위해 기업들에게 규제를 부과하는 것보다 시장을 통한 접근이 유리하다"며 "시장과 사적 기관이 정부보다 문제를 해결하는 데 훨씬 신속하고 효과적"이라고 강조한다.

반면 예일대 환경법정책센터의 대니엘 에스티 학장은 "1990년대 이후 온실가스 배출량이 늘어나는 현상에서 알 수 있듯 자발적인 참여 프로그램은 더 이상 효과가 없다"며 "온실가스 규제를 위한 혁신의 동기부여는 정부에서부터 출발해야 한다"고 말한다.

이에 대해 포럼 참석자 중 71%는 환경문제 해결을 위한 정부규제에 찬성을 표시했다. 참석자들은 "청정에너지 해법을 위해선 정부가 민간기업에 인센티브를 주는 것이 가장 핵심"이라고 답한다.

안보로서의 환경문제

'기후변화(Climate Change)'라는 용어는 잘못됐는가?'

존 홀드런 우즈홀 리서치센터장은 온실효과로 인한 기후변화의 명칭은 잘못됐다고 지적한다. 이보다는 '기후혼란(Climate Disruption)'이라는 용어가 적절하다는 대안을 제시하고 있다. 기후변화의 양상이 규칙적이지 않고 지역별로 각기 다른 양상을 보이고 있기 때문이다. '혼란'이라는 용어는 일정한 규칙 없이 무질서하게 변화하는 것을 의미한다.

알리슨 베일스 스톡홀름 국제평화연구소장은 안보문제와 기후변화가 많은 연관이 있다고 설명한다. 그러나 안보전문가들은 일반적인 안보문제보다 기후변화 문제가 더 해결하기 어렵다고 털어놓는다.

일반적인 안보문제는 위협을 가하는 존재를 규명하고 이 존재를

이산화탄소 배출 예방책별 효과

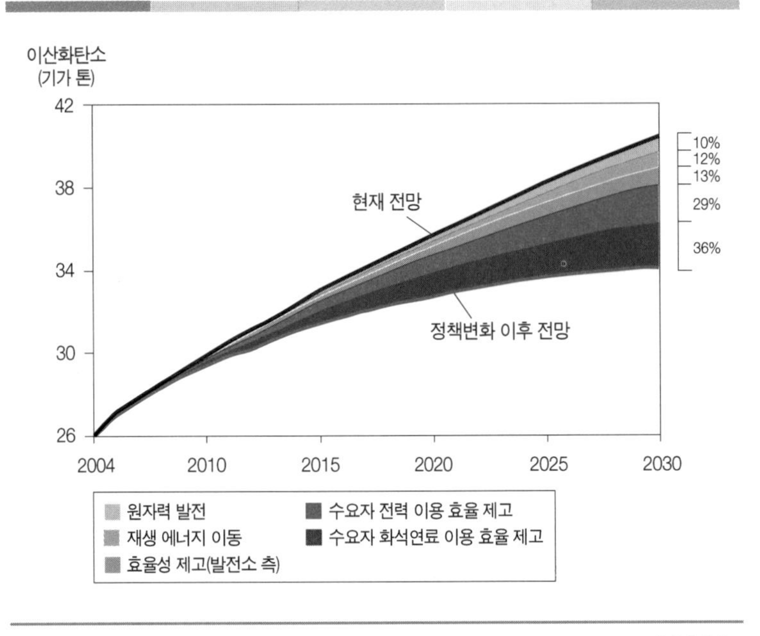

Source : 국제에너지기구

제거하는 방법을 찾는 데에서 해결의 실마리를 찾는다. 그러나 환경문제는 우리를 보호하는 것이 아니라 우리가 보호해야 하는 것이 문제다.

홀드런 센터장은 "전쟁이 발생했을 경우에 대비해서도 환경을 보호하는 룰이 있어야 한다"며 "환경에 민감한 지역이 파괴됐을 경우 그 여파는 전 세계로 미치게 된다"고 우려를 표명한다. 이 영향을 염두에 두고 국제적인 규정을 마련해야 한다는 것이다.

장 샤레 캐나다 퀘백 주지사는 "환경문제를 해결하는 데에는 모든 나라들이 기본적인 의무를 지켜야 한다"고 강조한다.

캐나다와 미국 정부는 교토의정서에 동의하지 않았다. 그러나 주 정부나 정부기관들은 환경문제 해결에 적극적인 태도를 보이고 있다. 오대호 수질관리 협정이 대표적인 사례다. 장 샤레 주지사는 "현재 환경문제로 가장 위험한 곳은 캐나다 북서항로"라며 "이곳의 빙하가 녹을 경우 심각한 혼란이 벌어질 수 있다"고 경고한다.

이크람 세갈 파키스탄 패스파인더 그룹 회장은 "역사적으로 집단적인 이동의 원인은 자연파괴에 따른 경우가 많았다"며 "아프가니스탄의 피난민들이 대거 파키스탄으로 넘어온 것도 같은 이유"라고 설명한다. 그는 또 지난 2005년 파키스탄 지진도 산간지역의 벌목으로 인해 피해규모가 더 커졌다고 지적한다. 숲은 산사태를 막는 방벽 역할을 하며, 나무의 뿌리가 토양 깊숙이 뻗어 토양을 고정해 흙을 움직이지 않도록 만든다.

니콜라스 크리스토프 뉴욕타임스 칼럼니스트는 강처럼 국경을 통과하는 자연 자원에 주목하고 있다. 물은 인간에게 가장 중요한 자원이고, 이 자원을 확보하지 못할 경우 혼란에 빠지는 것은 시간문제라는 것이다.

물을 구하지 못해 사라져 간 문명들은 역사 속에서 수도 없이 있어 왔다. 물을 지나치게 많이 사용하거나 물 확보에 경쟁이 붙을 때, 또는 사막화가 발생됐을 때 심각한 문제가 발생한다.

20만 명의 목숨을 앗아간 수단의 다르푸르 학살도 물 부족이 주요 원인 중 하나였다. 세계 인구의 40%가 이웃 나라의 물에 의지하고 있다. 지난 50년간 전 세계에서 사막화 때문에 다른 지역으로 이주한 인구는 1억 3,500만 명에 달한다. 물 부족이 또 다른 비극을 낳을 수도 있는 것이다.

킬리만자로 산에 있는 부족들은 우물을 확보하기 위해 다른 부족과 처음으로 싸움을 벌이기도 했다.

데이비드 캐머론 영국 보수당 당수는 "아무것도 하지 않는 비용이 어떤 실천을 하는 비용보다 더 비싸다"고 강조한다. 환경문제에 대한 구체적인 실천 계획이 필요한 시점이라는 분석이다.

3

미래경영 생존모델

수많은 리스크가 독버섯처럼 자라고 있고 '힘의 이동'이 고객을 분산시키고 있다. 진원지를 알 수 없는 '복합도전(Complex Challenges)'이 기업의 지속가능한 성장을 힘들게 하고 있다. 기술 빅뱅이 끊임없는 혁신을 요구하고, 원자재의 안정적인 확보 때문에 골머리를 앓고 있다. 다가올 미래를 위해 사회의 리더들은 어떤 준비를 해야 할까? 미래 생존을 위해 어떤 경영모델을 짜야 할까?

미래형 '생존모델'을 만들라

'이제 지금까지의 소비자는 잊어라!'

점점 해결하기 힘든 '복합도전(Complex Challenges)'이 지구촌을 엄습하고 있다. 세계는 다가올 미래형 복합도전에 대한 해법을 디자인해야 한다.

다보스포럼은 2007연차총회의 '미래 시리즈' 워크숍을 통해 미래에 개인들이 민간과 공공 분야에서 경험하게 될 새로운 기회와 도전들은 기존 '삶의 틀'을 완전히 바꿔놓을 것이라고 예상하고 있다.

따라서 글로벌 리더들은 복잡하게 연결되어 가는 미래 '네트워크 세상' 속에서 공동체와 인간들이 함께 존속하고 상호 교류하며 생존할 수 있는 '생존 모델'을 개발하는 데 주력할 것을 당부하고 있다.

다보스포럼은 새로운 생존 모델을 기반으로 미래를 선도할 대학원 교육 혁신, 다양한 가치 체계를 가진 국가와의 협력, 위기관리 기법의 개발, 교통수단의 혁신, 지속가능한 도시 개발, 기술 빅뱅 대비 등의 방안을 제시한다.

다보스포럼은 기업이나 교육자들조차 미래에 어떤 기술과 능력이 요구될지 정확히 예측할 수 없다며, 새로운 교육모델의 개발, 대학과 기업, 정부의 역할 혁신이 필요하다고 진단한다. 특히 기존 기술과 새롭게 필요로 하는 기술과의 격차를 좁히기 위한 혁신적 노력을 위해 대학원 교육의 재창조를 요구하고 있다.

세계화는 역으로 부족(Tribe)의 정체성을 강화시켜 동질성 그룹(Identity-based Group)의 영향력을 커지게 할 것으로 보인다. 지도자들은 민족이란 정체성이 어떻게 연결돼 영향력을 발휘하는지 폭넓게 이해해야 한다. 그렇게 함으로써 동질성 그룹이 시장과 지역 안정에 어떤 영향력을 행사하는지 더 잘 판단할 수 있다는 분석이다.

따라서 리더들은 다양한 가치 체계를 가진 그룹들과 협력을 확대하고, 부족 세계나 동질성 그룹의 특징을 활용하는 리더십을 발휘해야 한다. 앞에서 논의된 부족주의(Tribalism)가 기승을 부리고 있기 때문이다.

다보스포럼은 미래 사회는 연결성이 복잡해지고, 권위적 위계질서(Hierarchy) 대신에 네트워크가 그 기능을 대체할 것으로 분석한다. 네트워크 사회는 심각한 변화를 동반한다며 미래 네트워크 사회에 걸맞는 성공적인 미래 기업이 되기 위한 조직모델 개발에 앞장서야 한다고 강조한다.

참석자들은 미래 조직모델은 복잡한 상관관계를 이해하기 쉽고, 신속한 결론에 이를 수 있도록 다차원적이며 보다 시각적인 기법을 적용하는 모델일 것을 주문한다.

다보스포럼은 도시 대중교통의 혁신도 주문하고 있다. 미래 도시의 수요와 사용자의 희망을 반영한 지속가능한 형태의 교통수단 혁신이 시급하다는 분석이다. 교통혁신에는 현재의 에너지 사용과 교통 혼잡을 줄일 해결책, 서로 다른 교통수단을 연결시킬 개선 방법들이 동시에 고민돼야 한다고 조언한다.

다보스포럼은 지속가능한 도시 디자인과 하나로 연결되는 기술

다보스포럼의 '미래경영' 6대 제언

- 대학원 교육 혁신
- 범국가적 협력체제 확립
- 위기관리 기법의 개발
- 교통수단의 혁신
- 지속가능한 도시 개발
- 기술빅뱅에 대한 대비

리더들은 지속가능한 성장을 위해
미래경영 생존모델을 짜는 데
앞장서야 한다.

융합(Technological Convergence)의 '네트워크 세상'에서 지혜롭게 살기 위한 대책도 시급하다고 지적한다.

기술빅뱅이 계속해서 일의 방식과 여가활용 방법, 통신 방법, 소비 방법 등에 종합적으로 영향을 미치고 있기 때문에 기업들과 정부는 이러한 변화가 소비자의 행동에 어떤 영향을 미치는지 효율적으로 연구해야 한다는 것이다. 따라서 기업인들은 기술빅뱅이 소비자의 패턴에 어떤 변화를 가져올지 주시하고 대비해야 한다.

나아가 리더들은 지속가능한 도시를 만들기 위해 자원과 폐기물, 교통관리를 혁신적으로 해결할 수 있는 혁명적 해법이 반영된 새로운 도시설계를 하는 데 앞장설 것을 다보스포럼은 주문하고 있다.

메가 시티의 과제

전 세계 거대 밀집도시는 지속가능한 사회를 만들기 위해 어떤 노력을 기울여야 할까? 교통문제로부터 해방될 수는 없을까? 전력 공급 중단 사태는 발생하지 않을까?

세계적인 전기 · 전자 솔루션업체인 독일의 지멘스는 전 세계 25개 메가 시티(Mega City, 거대 인구 밀집 도시)를 대상으로 심층 조사한 '메가 시티 리포트(Mega City Report)'를 통해 메가 시티 건설을 위한 주요 과제를 발표하고 있다.

먼저, 최근 도시 계획을 수립할 때 주요 이슈는 환경보다 도시 인프라 구축이 우선시된다는 점을 지적하고 있다. 또한 메가 시티의 최우선 과제는 교통문제이며, 공기 오염이 환경의 핵심 이슈로 등장한다는 점도 시사하는 바가 크다. 에너지, 물, 교통, 의료 등의 도시 인프라 구축에 민간 기업이 중요한 역할을 담당해야 하는 것으로 조사되고 있다.

메가 시티를 변화시킬 가장 큰 물결은 무엇이 될까? 그 주인공은 바로 전 세계적으로 엄청나게 늘어나고 있는 자동차가 될 전망이다. 자동차가 교통지옥과 공기오염의 주범이라는 점에서 이는 큰 문제가 될 것으로 예상된다. 중국 상하이에는 2020년까지 지금보다 4배에 달하는 자동차가 늘어날 전망이다. 이는 앞으로는 인프라 구축이 환경보다 우선시 된다는 점을 시사한다.

런던의 통행료징수 시스템(Toll System)은 교통관리 시스템의 성공 사례가 되고 있다. 런던의 운전자들은 도심을 지날 때마다 자동부과되는 통행료를 납부한다. 지난 2003년 시스템이 도입된 이후, 교통 체증은 평균 26%나 감소했으며, 통행료가 부과되는 지역의 총 교통량 역시 21% 감소했다. 또한 교통지체 시간도 과거 1킬로미터 당 2.3분에서 지금은 1.8분으로 줄어들었다.

지멘스 클라우스 클라인펠트 회장은 "각 도시가 경제적인 풍요와 깨끗한 환경, 그리고 시민의 삶의 질을 조화롭게 운용할 때 그 도시 지역 내에서 성장을 이끌어가고, 글로벌 경쟁력도 확보할 수 있게 될 것"이라고 말한다.

도시문제 가운데 공기오염 해결이 핵심이슈가 되고 있다. 세계보건기구(WHO)에 따르면 산업화 국가의 도시 거주자들 중 연간

13만 명 정도가 공기 오염으로 인해 사망하고 있다.

잘 정비된 교통시스템은 도시의 경제적 매력도를 높인다. 이에 따라 71%의 교통 전문가들은 가까운 미래에 메가 시티에서 대중교통 시스템의 구축이 활발해질 것이라고 전망하고 있다. 29%만이 자동차 교통이 중요해질 것이라 전망하고 있다.

글로브스캔의 덕 밀러 회장은 "향후 5년에서 10년 동안, 교통문제를 해결하는 것이 의사 결정자들에게 있어 가장 중요한 과제이며 도시 투자에 있어 첫 번째로 중요한 요소가 될 것"이라고 말한다.

에너지 확보도 중요한 과제다. 48%의 에너지 전문가들은 향후 재생 에너지원의 개발이 활기를 띨 것으로 전망한다. 2030년 전 세계 전력 소비량은 2002년의 두 배로 늘어날 전망이다.

도시정책 전문가들은 IT 솔루션이 메가 시티의 효율성과 투명성을 대폭 개선해줄 것으로 전망한다. 덴마크 정부가 운용한 전자구매 시스템은 납세자들에게 연간 1억 8,800만 달러의 감세효과를 가져다줘 훌륭한 성공사례를 보여준다.

행동을 위해 필요한 것들

캘리포니아 시에라 산의 만년설이 줄고 있다. 이는 농업용수 부족 차원을 넘어 식수원 부족으로 연결돼 사람에게 치명적인 타격을 준다. 스티브 추 로렌스 버클리 국립연구소장은 "캘리포니아 시에라 산의 만년설이 30%에서 90% 감소했다"며 "20% 감소만으로도 캘리포니아 물 저장에 차질이 빚어지며, 50%가 줄어들면 농사를 지을 수 없게 된다"고 경고한다. 여기서 더 줄게 된다면 마실 물에 영향을 미칠 수 있다.

그는 해수면 상승이 5년이나 10년 전에 예고됐고, 당시 예고됐던 수준보다 실제 훨씬 높은 수준이라고 설명한다. 과학은 기후변화에 대한 새로운 해결책을 모색할 필요가 있다. 이산화탄소 제거와 에너지 재활용 등의 방법을 연구해야 한다.

장 샤오창 중국 국가발전개혁위원회 부위원장은 "중국은 교토의정서에 따르려고 노력하고 있다"고 말한다. "구체적인 배출량 목표를 정하기 위한 단계에 있으며, 중국이 오염물 배출을 줄이고자 해도 시멘트와 철강 생산은 많은 에너지를 필요로 한다. 그러나 중국의 에너지 효율성은 서구에 비해 절반 정도에 불과하다. 따라서 중국은 에너지 효율성을 높이기 위해 선진국가의 도움이 필요하다"고 강조한다.

몬텍 알루왈리아 인도 기획위원회 부위원장은 "인도의 경우 원자력 발전의 비중을 높여 오염물질의 배출을 줄이고 있다"고 설명한다. 인도도 지구온난화로 고통받을 것을 염려하고 있는 것이다.

파비앤 누네즈 캘리포니아주 의원은 "미국은 다음번 대선 이후 기후변화 문제에 앞장설 것"이라고 전망한다. 그는 미국 중앙정부가 앞으로 기후변화에 적극적으로 나설 것이라고 낙관한다. 누네즈 주의원은 "캘리포니아가 이산화탄소 배출량을 줄이는 법률을 제정했다"며 미국의 소극적인 태도에 대한 비판을 피해갔다.

캘리포니아주 의회는 지난 2006년, 2020년까지 이산화탄소 배출량을 25%가량 줄이는 법안을 통과시켰다. 이는 1억 7,400만 톤의 이산화탄소에 해당한다.

스티브 추 소장은 미국에서 50% 이상의 에너지가 재활용될 수 있지만 미국정부가 산업부문에 구체적인 움직임을 요구하지 않는다고 지적한다. 추 소장은 이산화탄소 1톤에 미화 30달러의 세금을 부과하는 안을 제시하기도 한다.

자크 아이그레인 스위스리 CEO는 "왜 환경문제에는 경영 마인드를 적용하지 않느냐"고 비판한다. 기후변화를 막기 위한 투자가 기후변화라는 리스크에 적응하는 비용보다 저렴하다는 지적이다.

인도와 중국에 무공해 에너지 기술을 전수해야 한다는 주장도 제기되고 있다. 아이그레인 사장은 "인도와 중국에는 에너지가 필요하며, 이 에너지를 공해 없이 이용하는 기술도 필요하다"며 기술 전수의 필요성을 언급하고 있다.

마틴 울프 파이낸셜타임스 칼럼니스트는 환경문제는 해결이 가능하다며 환경보호 투자자들에게 인센티브를 주는 시스템도 고려해볼 만하다고 말한다. 그는 개발도상국가들을 선진국가들이 지원해주는 것도 한 가지 방법이 될 수 있을 것이라고도 강조한다.

미래기업의 조직모델은?

이상적인 조직은 없다. 기업의 특성에 맞춰 생산성과 효율성, 창의성을 높일 수 있는 조직이면 된다. 무엇보다 미래기업은 아이디

미래기업의 조직모델

무(無) 융통성(Rigid) 조직	→	유연한(Flexible) 조직
막힌(Solid) 조직	→	투과되는(Porous) 조직
순차적(Sequential) 조직	→	병렬(Parallel) 조직
저항하는(Resistance) 조직	→	탄력적(Resilience) 조직
중앙집권적(Centralized) 조직	→	분산적(Decentralized) 조직
정체된(Stasis) 조직	→	흐르는(Fluidity) 조직
무거운(Heavy) 조직	→	가벼운(Light) 조직

어가 살아 숨쉬는 창의적인 조직을 만드는 게 중요하다. 따라서 전통적인 기업의 조직모델에 대한 회의론이 대두되고 있다.

라케시 쿠라나 하버드대 교수는 "프레데릭 테일러의 계층적인 위계조직(Hierarchical Organization)은 명령과 탑다운 모델, 감독형 조직의 관점에서 좋은 조직구조였다"며 "이 조직은 대부분의 근로자가 게으르고 어리석어서 자신의 일을 이해하지 못하고 있다는 것을 전제로 하고 있다"고 말한다.

그는 "이 같은 테일러형 조직은 조립 라인, 주입형 강의, 노동집약 작업장에 적합한 모델이었고, 많은 기업이 위계조직을 사용하고 있지만 현재는 적합한 조직모델이 필요한 변곡점에 놓여 있다"고 강조한다. 복잡한 기업의 업무집행을 효율적으로 하기 위해 보다 창의적이고 단순한 조직모델이나 기업특성에 적합한 조직형태가 필요하다는 지적이다.

쿠라나 교수는 문어발식 공급체인 캘리포니아 구글 본사의 창조적 혼돈조직, 이메일을 활용한 가상조직, 수평적 조직들이 테일러형 조직을 대체하고 있다고 진단한다.

그렇다면 어떤 조직모델이 미래기업을 위해 적합할까?

건축가인 토시코 모리는 최근의 건축이론에 반영된 기업의 조직모델에 대한 청사진을 제시한다. 미래기업 조직의 핵심은 창의성이 살아 숨쉬도록 하는 것이다. 조직의 구성원이 명령이 아닌 자발적 의사에 의해 움직일 수 있어야 한다는 게 모리의 조언이다.

우선 융통성 없는 조직은 유연하게, 단단하게 막힌 조직은 투과되는 조직으로, 수직적인 조직은 병렬 조직으로, 복잡한 조직은 단순한 조직으로 만들 것을 권유하고 있다.

또한 저항하는 조직은 탄력적 조직으로, 중앙집권적 조직은 분산적 조직으로, 정체된 조직은 흐르는 조직으로, 무거운 조직은 가벼운 조직으로 바꿀 것을 조언한다.

다시 말해 인간적 요소를 고려한 디자인과 조직모델이 효용성을 높일 것이라는 분석이다. 이에 따라 조직의 핵심부분의 가치를 높이면서 기업의 외부와 유기적인 협력체계를 구축할 수 있는 창의적 조직형태들이 새롭게 거론되고 있다.

VII 미래경영, 리더들의 제언

"빨리 가고 싶다면 혼자 가도 된다.
그러나 멀리 가고 싶다면 함께 가야 한다."

앙겔라 메르켈, 독일 총리
아프리카 원조를 위한 국제사회의 협동을 강조하며.

"쉬운 말로 하자면, 완전히 정신이 나간 것이다."

니콜라스 스턴, 영국정부 경제자문
지구온난화를 막기 위한 '이산화탄소세(稅)' 반대자들을 비난하며.

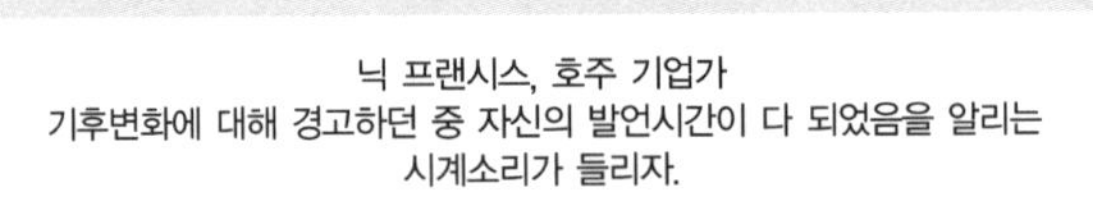

"이제 4년밖에 안 남았다.
시계소리도 째깍거린다."

닉 프랜시스, 호주 기업가
기후변화에 대해 경고하던 중 자신의 발언시간이 다 되었음을 알리는
시계소리가 들리자.

1

글로벌 리더-스페셜 인터뷰

- 클라우스 슈밥, 세계경제포럼 창립자
- 룰라 다 실바, 브라질 대통령
- 네빌 이스델, 코카콜라 회장
- 니콜라스 네그로폰테, MIT 교수

"리더들 더 나은 세계 고민해야"

클라우스 슈밥, 세계경제포럼 창립자

"오늘날 우리는 세계화와 더불어 불안의 시대에 살고 있습니다. 지속적인 발전이 거듭되고 있지만 다른 한편으로는 새로운 도전 과제가 돌출되고 힘의 균형이 깨지고 있습니다."

세계경제포럼(WEF)의 창립자인 클라우스 슈밥은 "표정은 힘의 이동시대를 맞아 세계가 직면한 도전 과제들을 올바로 인식하고 복잡해지는 리스크들을 해결해 더욱 나은 세계를 만드는 것을 목표로 하고 있다"고 설명했다.

“

리더들이 인류 번영
이뤄내야 한다.

”

클라우스 슈밥, 세계경제포럼 창립자

그는 “현대는 매우 복잡한 일들이 동시에 진행되고 있다”며 “글로벌 리더들은 복잡한 세계에서 더 나은 세상을 만들기 위해 사명감을 갖고 고민해야 한다”라고 강조했다.

실제로 매년 다보스포럼은 공식 세션을 230여 개 개설한다. 경제 이슈뿐만 아니라 혁신, 지속가능한 발전, 에너지와 개발 솔루션, 인터넷 2.0 시대, 인구구조 변화, 북핵 문제 등 다양한 문제에 대한 조명을 통해 인류의 공동번영을 위한 방법을 고민한다.

클라우스는 “우리 삶은 모두 경제문제와 연결돼 있다”며 “리더들은 삶의 본질적 문제를 해결해 인류 번영을 이뤄내야 한다”고 말했다.

그는 포럼에 대해 “국가원수, 정치 지도자, 세계 유수 대학들의 총장과 시민단체 대표, 종교단체 지도자 등 다양한 분야의 리더들을 초청해, 단순한 국제회의나 외교적 모임이 아닌 지구촌 난제를 해결하기 위한 대 토론의 장이 될 수 있도록 하고 있다."며 "다보스포럼은 의사결정을 위한 자리가 아니라 개개인들의 의견을 존중하고, 모두가 직면한 도전과제를 해결하기 위한 브레인스토밍의 무대"라고 강조했다.

그는 "1971년 포럼을 시작한 이래 각계각층의 사람들이 다양한 이슈를 토론해 왔다는 데 큰 의미를 찾을 수 있다"며 "다보스포럼이 처음에는 경제를 주제로 시작했지만 우리 사회가 어느 정도 경제와 관련돼 있다는 점에서 큰 역할을 해왔다"고 말했다. 또한 "경제문제가 모두의 문제이기 때문에 결국 포럼은 '삶'이 큰 주제"라며 "삶에는 정치나 경제가 관련돼 있지만 사회적 가치와 문화도 포함되는 것"이라고 말했다.

"스스로 달라져야 발전"

룰라 다 실바, 브라질 대통령

"사회가 발전하려면 다른 사람의 탓을 해서는 안 되며 스스로 달라져야 한다."

이스 이나시우 룰라 다 실바 브라질 대통령이 개발도상국들 스스로 자기반성을 통해 개혁에 적극 나서야 한다고 촉구했다.

그는 2007 다보스포럼 공식연설에서 "개발도상국 지도자들은 좋지 않은 현 상황에 대해 불평하고 투덜거리며 국제사회를 돌아다닌다. 이러한 행동은 발전에 전혀 도움이 되지 않기 때문에 당장 그

"
사회가 발전하려면
다른 사람의 탓을 해서는 안 된다.
"

룰라 다 실바, 브라질 대통령

만둬야 한다"며 "따라서 모든 것은 우리에게 책임이 있기 때문에 스스로 달라져야 변할 수 있다"고 역설했다.

그의 이 같은 발언은 집권 1기 포퓰리즘(대중영합주의)이 촉발한 저성장에 대한 비판과 2007년 1월 출범한 집권 2기의 의욕적인 경제활성화 대책과 맞물려 개도국 분발을 촉구하는 것이어서 주목된다.

룰라 대통령은 또 선진국 지도자들도 세계화 촉진을 위한 도하개발어젠다(DDA) 협상 타결을 위해서 서로 양보해야 한다고 강조했다. 그는 "최빈국들도 21세기에 발전의 기회를 가질 수 있다는 신호(Signal)를 주기 위해서는 미국, 영국, 프랑스, 그리고 독일의 지도자들이 반드시 양보를 해야 한다"라고 강조하며 이 같이 말했다.

이어 "미국은 농업보조금을 반드시 삭감해야 하며, 유럽은 농업 생산품에 대한 진입장벽을 낮춰야 한다"고 덧붙였다.

룰라 대통령은 개발도상국의 무역 협상 당사자들은 오히려 선진국 이해관계에 대해 유연성을 보여주고 있다고 강조했다. 그는 "브라질은 능력이 닿는 한 최선을 다해 양보할 것이며, G20(브라질, 인도, 남아프리카공화국이 주도하는 개도국 연합) 회원국들에게 (브라질과) 동일한 수준의 양보를 하도록 설득할 것"이다. 그러나 미국과 다른 선진국들도 양보를 하도록 촉구해야 하며, 그렇지 않으면 협상 타결은 불가능하다"라고 말했다.

룰라 대통령은 집권 2기 출범과 동시에 발표했던 경기활성화 정책의 세부사항을 설명하기도 했다. 경기부양책은 ① 선별된 경제 분야에 대한 세금감면, ② 규제완화, ③ 도로 · 철도 신설과 개발, 항만 현대화, 전기공급 등을 포괄하는 지역균형개발 계획 등 3가지 축으로 구성되어 있다.

룰라 대통령은 이와 관련 "과거에 진행됐던 개발정책을 절대로 답습하지 않을 것"이라며 "예전의 그 어떤 브라질 개발정책보다 대규모 프로젝트가 될 것으로 확신한다"고 말했다.

공 · 사 협력법(Public-Private Partnership Law, PPP Law)을 통과시킨 브라질 정부는 정부 주도, 민간회사와의 계약 등 사회간접자본 투자를 활성화하기 위한 모든 방안에 돌입할 계획이다.

그는 "브라질 정부는 우선 정부가 독자적으로 할 수 있는 투자방안을 모색한 뒤, 다음으로 민간 분야의 참여가 필요한 영역을 찾을 것"이라며 "종종 사업가들이 투자방안에 대해 회의적인 의견을 내놓지만 일부 영역에서의 투자는 더 이상 미뤄질 수 없는 상황"이라고 강조했다.

또한 "브라질 정부가 지난 3년간 투자를 미뤄온 결과 축구선수들이 종종 말하는 것처럼 '행동하느냐 죽느냐(Do or Die)'를 결정해야 할 시점에 도달했다"라고 말했다.

사회간접자본 개발계획은 브라질 국경을 넘어 남미 다른 인접국가와의 연결고리를 개선하는 수준으로까지 확대된다. 룰라 대통령은 "브라질은 통합(Integration)을 위한 좋은 정책과 계획에 전념하고 있다"며 "이런 계획이 단지 공허한 말 뿐만이 아니라는 것을 전 세계에 보여줘야 한다"라고 말했다.

이와 관련해 그는 브라질과 페루 간 4,800킬로미터 고속도로 건설을 예로 들었다. 브라질은 이 고속도로 건설로 역사상 처음으로 태평양 연안지역에 접근할 수 있는 통로를 확보한 바 있다.

또한 룰라 대통령은 그의 집권 1기 정부 성과 중 빈곤층을 위한 복지정책, 소외지역에 대한 전력공급, 농업개혁, 일자리 창출 등을 강조하기도 했다.

"이해관계자 배려하는 경영이 중요"

네빌 이스델, 코카콜라 회장

"이해관계자를 배려하는 경영이 매우 중요합니다."

네빌 이스델 코카콜라 회장은 "주주와 고객, 시민단체 등 이해관계자들의 파워가 커지고 있다"며 "힘의 중심에 서 있는 이해관계자를 배려하는 경영이 매우 중요하다"고 강조했다. 그는 "기업의 책임경영과 투명성이 산업 전체에 계속해서 영향을 주고 있다"

"

이해관계자의 목소리에
귀 기울여야.

"

네빌 이스델, 코카콜라 회장

며 "이로 인해 기업의 리더들은 중요한 선택에 직면하게 된다"고 말했다.

"우선 리더들이 직면하는 선택 중 하나는 이해관계자들의 목소리에 귀 기울이느냐, 아니면 귀를 닫느냐 입니다."

이스델 회장은 "이해관계자의 목소리에 귀 기울이고 이들의 불공정한 대우에 대해 불평을 하느냐, 아니면 기업의 사회적 책임이 기업 활동의 일부라고 받아들이느냐는 CEO의 중요한 결정"이라고 강조했다. 이해관계자의 목소리를 경청해 이들과 조화를 이루는 게 중요하다는 지적이다.

그는 "글로벌 기업들이 사회적 책임을 다하는 것은 세계경제 통합이란 목표를 위해 나아가는 것"이라며 "책임경영은 지속가능한 발전, 생활수준 향상, 지식과 기술의 향상을 가져올 수 있다"고 강조했다.

"코카콜라 사의 영향력은 상당히 큽니다. 전 세계 200개 이상의 나라에서 활동하는 글로벌 기업이라는 점, 음료수의 제조, 배포, 판매를 지역 사회 내 기업들에 의존하는 비즈니스 모델을 가지고 있다는 점에서 큰 영향력이 생깁니다."

이스델 회장은 "지역사회와의 협력이 기업의 성장에 중요한 영향을 미친다"며 현지화 노력의 중요성을 역설했다.

일자리를 창출하고 납세나 연관 산업, 공공 서비스를 제공하는 회사는 지속가능한 지역사회 및 생활수준 향상을 가져올 수 있다는 점에서 특별한 기회를 제공받고 있다는 게 그의 진단이다. 그러므로 그는 잘못된 관행은 비평을 받을 수도, 압력을 받을 수도 있다고 말했다.

이스델 회장은 "기업은 지역사회나 이해관계자의 힘에 지배받지 않기 위해서는 회사 내 시스템이 '강력한 자정 능력'을 발휘할 수 있도록 해야 한다"고 강조했다. 자정능력을 발휘할 수 있는 조직일수록 건강하고, 이해관계자들과 호흡할 수 있어야 기업이 이들의 지지를 받아 더 큰 힘을 발휘할 수 있다는 것이다.

"그린 머신으로 정보격차 없는 세상 열겠다"

니콜라스 네그로폰테, MIT대 교수

"2008년까지 어린이용 초저가 노트북 컴퓨터 1억 대를 정보화로부터 소외된 아프리카 등 빈곤국가에 보급해 정보격차 없는 세상을 만들 것입니다."

“

정보격차 없는 세상을
만드는 데 앞장서야 한다.

”

니콜라스 네그로폰테, MIT 교수

디지털 전도사로 불리는 니콜라스 네그로폰테 미국 MIT대 교수가 세계경제포럼 2007연차총회가 열리는 스위스 다보스에 모습을 나타냈다. 2년 전인 지난 2005년 다보스포럼에서 '모든 지구촌 어린이에게 노트북 컴퓨터를(OLPC, One Laptop Per Child)'이라는 프로젝트를 발표했던 그는 이번 포럼에 '그린 머신(Green Machine)'으로 일컬어지는 시제품을 옆구리에 끼고 등장해 빈곤국가의 어린이들이 디지털시대의 주역으로 성장할 수 있도록 적극 지원하자고 강조했다.

그는 "2007년 안으로 500만 대의 어린이 전용 교육용 컴퓨터를 보급할 계획이다"라며 "2008년까지 최소 5,000만 대에서 최대 1억 대의 컴퓨터를 세계의 가장 빈곤국 어린이들에게 보급해 정보격차 없는 세상을 만들어 나갈 방침이다"라고 청사진을 밝혔다.

"캄보디아, 수단, 리비아, 짐바브웨 등 전 세계의 소외된 어린이들은 예외 없이 모두 컴퓨터 한 대씩을 갖게 될 것입니다."

이메일 기능을 비롯해 무선 인터넷,
사전, 문서 작성, 게임 등
기본적인 컴퓨터의 모든 기능을
갖추고 있다

네그로폰테 교수는 "디지털 정보화시대에는 컴퓨터가 교육의 질과 내용을 획기적으로 개선하는 기폭제가 될 수 있다"며 "보급되는 컴퓨터는 빈곤국 어린이들을 창의적인 세계로 나아갈 수 있도록 교육하는 확실한 학습 도구가 될 수 있다"고 밝혔다.

100달러짜리 초저가 컴퓨터로 개발된 이 교육용 컴퓨터는 상단에 2개의 안테나가 달려 있고 배터리를 충전해 사용할 수 있도록 개발됐다.

그는 "어린이용 초저가 노트북 PC는 이메일 기능을 비롯해 무선 인터넷, 사전, 문서 작성, 게임 등 기본적인 컴퓨터의 모든 기능을 갖추고 있다"며 "10년 넘게 쓸 수 있도록 내구성이 뛰어나 개도국 어린이들의 성장기에 정보화시대의 주역으로 자라는 데 소중한 교구재가 될 수 있다"고 강조했다.

그리고 "보급되는 '100달러 랩탑'은 개도국 어린이들의 교육방법을 바꿀 '혁명적 기술'로 전 세계 어린이들이 탐구하고 실험하며 자신의 의견을 밝힐 수 있는 새로운 기회를 제공하게 될 것"이라고 설명했다.

100달러짜리 노트북이 모든 빈곤국 어린이에게 보급될 경우 미래의 희망인 어린이들, 특히 정보화로부터 소외된 개도국 어린이들이 정보화의 주역으로 등장하게 됨으로써 국가 간 지역 간 정보 불평등 문제를 극복하고 인류 번영의 시대를 열 수 있다는 게 네그로폰테 교수의 지론이다.

네그로폰테 교수는 멀티미디어의 개념을 최초로 제시하고 명명한 사람으로 미국의 정치가 앨 고어가 주창한 정보고속도로 개념의 창시자이기도 하다. 1985년 MIT에 미디어연구소를 설립해 소장을 맡고 있고 《디지털이다*Being Digital*》라는 제목의 책을 발간해 전 세계의 주목을 받았다.

미디어연구소는 새로운 미디어를 연구하는 곳으로 홀로그램 및 멀티미디어, 디지털고화질 텔레비전의 핵심 및 표준기술을 개발했다. 그리고 세계 유명한 170여 개 기업과 미국 연방정부로부터 재정지원을 받고 있다.

그는 일찍이 인터넷을 통한 칼럼과 강연을 통해 디지털 혁명이 가져올 세계적인 변화를 예견하기도 했다. 특히 지난 2005년부터 컴퓨터를 활용, 개도국 어린이들의 교육을 돕기 위해 '비영리 OLPC 협회'를 설립해 빈곤국 정보화에 앞장서고 있다.

다보스포럼 참석자 제언

- 소외되는 한국, 글로벌 이슈에 눈을 돌리자
- 풀어야 할 인류의 숙제 '기후변화'
- 아시아의 중심이 된 중국과 인도

다보스포럼에 참석한 한국의 리더들은 한국이 지나친 경제 중심의 사고에서 벗어나 기후변화와 같은 비경제적 이슈, 즉 사회적 책임에 관심을 기울여야 한다고 한 목소리를 냈다.

다보스포럼에 참석한 조동성 서울대 교수, 문국현 유한킴벌리 사장, 유현오 SK커뮤니케이션즈 사장, 김미형 금호아시아나 부사장, 김연희 베인&컴퍼니 부사장은 〈매일경제〉가 마련한 '2007 다보스포럼의 시사점'을 주제로 한 좌담회에서 "이제 한국은 글로벌 이슈에 눈을 돌릴 때"라고 강조했다.

이들은 기업인들이 가져야 할 글로벌 이슈로 기후변화, 양극화 해소, 신흥국가(인도와 중국)를 손꼽았다.

김미형 금호아시아나 부사장, 김연희 베인&컴퍼니 부사장, 문국현 유한킴벌리 사장,
유현오 SK커뮤니케이션즈 사장, 조동성 서울대 교수 (가나다순)

문국현 | 다보스포럼은 경제, 지정학, 비즈니스, 기술과 사회 등 4개 분야에 걸쳐 12가지 힘의 이동을 강조하고 있다. 이러한 힘의 이동시대를 맞아 국가와 기업은 무엇을 해야 하며 어떤 리더십이 필요한지 묻고 있다.

조동성 | 집행부에서 선정한 12개의 힘의 이동 가운데 참석자들은 투표를 통해 하나를 빼고 다른 것을 추가했는데 그것이 바로 기후변화(Climate Change)이다. 특히 절대다수인 55%가 기후변화를 인류가 해결해야 할 가장 중요한 과제로 선정한 것을 보고 진땀이 날 정도로 충격을 받았다. 기후변화를 사회적, 국가적, 기업의 이슈로 삼아 문제를 제기하는 것은 처음 있는 일이었다. 앞으로 우리는 기후변화가 우리 사회와 경제에 얼마나 중요한 영향을 미치게 될지 주목해야 한다. 내가 세상에서 격리된 '우물 안 개구리가 아닌가' 라는 생각마저 들었다.

문국현 | 12.2%가 소득 불균형에 따른 양극화(Inequality)를 인류의 두 번째 중요한 과제로 선정했다. 결국 선진국들은 환경과 양극화 등 사회적 이슈를 고민하고 있는 것이다.

유현오 | 비즈니스 세션에서도 신흥시장이 가장 중요한 키워드

로 언급됐지만 결국 기후변화가 최고 중요한 이슈로 선정됐다. 그런데 포럼 참석자들을 보니 기업인뿐만 아니라 시민단체와 정부 관계자들의 참석도 돋보였다.

조동성 | 한국 사람들이 참여하는 세션을 보니 모두가 경제와 관련된 것들이었다. 하지만 다보스포럼은 전체적으로 환경의 중요성을 강조하고 있었다. 우리의 관심사가 지나치게 경제에만 편중돼 있지 않은가라는 반성을 하게 됐다.

김미형 | 중요한 것은 지금부터 어떤 정책으로 대응하느냐다. 정부와 기업의 인식변화도 중요하다. 우리는 항상 경제가 먼저고 환경은 뒷전으로 미루는 형편이다.

김연희 | 안타깝게도 다보스포럼은 5년, 10년 뒤 사회가 어디로 갈 것인가, 개인과 국가, 사회가 무엇을 해야 하는가에 대해서는 총체적 관점을 보여주지만, 그에 대한 솔루션은 빠져 있다. 따라서 환경의 중요성을 화두로 던져주고는 있지만 솔루션은 없다. 교토의정서도 못 지키면서 어떻게 실천과제를 찾아낼 수 있겠는가?

유현오 | 사실 다보스포럼은 CEO들이 고민하는 근본적인 비즈니스 모델에 대한 고민이 빠져 있는 것 같다. 오히려 정보 보안처럼 비즈니스가 주는 사회적 영향에 대한 논의가 많다. 실제 CEO는 사회적 위험을 극복하면서 산업과 비즈니스를 어떻게 발전시켜 나갈 것이냐를 고민한다.

조동성 | 이것은 미국과 유럽의 큰 차이다. 가전박람회인 CES나 Bio2007과 같은 미국행사는 아주 세밀하고 분석적이다. 하지만 다보스포럼은 유럽식 분위기를 토대로 하고 있기 때문에 글로벌 리더

좌담회에 참석한 유현오 사장, 조동성 교수, 문국현 사장(왼쪽부터)

들이 거대 담론을 하는 자리다. 미국과 유럽의 특색을 이해할 필요가 있다.

문국현 | 37년 전에 시작된 다보스포럼의 참석인원을 보면 미국인과 유럽인의 숫자가 비슷하다. 다른 데와는 달리 공부하는 모임, 즉 협치(協治)의 모임이다. 또한 어느 한 부분의 산업을 논의하는 지협적인 모임이 아니라 정치, 경제, 사회, 문화 예술 등 사회 전 분야에 걸쳐 지구촌 운영방식을 논의하는 무대다. 한국은 이 같은 논의에서 소외돼 있지 않은지 반성해야 한다. 전반적으로 많이 뒤처져 있다는 느낌을 받았다. 중국과 인도의 힘이 커져 이제는 한국을 비켜 세우게 만들고 있다. 유럽인은 중국과 인도가 그들의 일자리를 빼앗아가고 있는 것으로 생각하고 있고, 새로운 국수주의도 생겨나고 있다. 또한 중국과 일본이 상생관계를 만들고 있어 한국

의 중소기업들의 미래를 어둡게 하고 있다. 이는 실업난과 중산층 위기를 몰고 올 수 있다. 브릭스(BRICs), 멕시코, 베트남 등이 거론될 때 한국이 소외되는 것 아니냐는 느낌이 들었다.

김미형 | 인도인들은 아시아를 볼 때 중국과 일본만을 볼 뿐 한국은 리스트에 없다고 한다. 이런 말을 들으면 문제의 심각성을 느낄 수 있다.

문국현 | 중국인들도 같은 생각을 하고 있다. 중국 리더들은 한국 기업인을 만나는 데 관심이 없다. 중국 기업인들은 인도 기업인만이 파트너라고 생각한다.

조동성 | 유럽의 기업인들이 만나자고 해도 중국인들은 거절한다. 중국의 최우선 순위는 역시 인도다.

김연희 | 세계화와 관련해 선진국은 이익을 받고 후진국은 불이익을 받는 것으로 인식됐으나, 이제 세계화는 후진국을 먹여 살리고 선진국 중산층을 무너뜨리는 것으로 바뀌었다. 우리나라는 중산층이 무너지는 선진국 현상이 나타나고 있다. 개도국을 막 벗어났는데 실업 등 선진국 이슈가 나타나고 있다. 기업인들은 수출이 아니라 기업 인수합병(M&A)을 화두로 해서 성장전략을 펴야 한다. 중국의 레노보처럼 새로운 시장으로 가서 글로벌 M&A를 해야 한다.

국제무대에서 소외된 한국

– 언어장벽 선결과제

– 아시아의 주체세력으로 참여해야

좌담회 참석자들은 "다보스포럼은 아시아와 한국의 문제를 푸는 데 있어 유럽식 패러다임을 주입하고 있다"며 "한국이 적극적으로 참여해 우리의 논리를 적극적으로 펼칠 필요가 있다"고 강조했다. 이를 위해서는 언어문제 해결이 선결과제로 지적됐다.

김미형 | 3년째 참가하고 있는데 한국의 참여가 부진하다. 북한 문제는 우리만의 이슈가 아니다. 11대 경제 대국의 지위도 성공신화인데 이런 장소에서 홍보가 제대로 되지 않고 있다. 한국이 좀 더 국제사회에서 큰 목소리를 낼 수 있는 방법을 고민해야 한다.

조동성 | 세션에 들어가 보니 외국인들이 한국의 사례를 성공적인 모델로 소개하는 것을 볼 수 있었다. 그런데 안타깝게 그 자리에 한국인은 한 명도 없었다. 외국사람이 그들의 시각으로 우리에 대한 이야기를 하고 있었다. 우리가 주역이 되지 못하고 재료로 이용되는 것은 안타까운 일이다.

김연희 | 다보스포럼에 한국의 정치인과 시민단체 종사자들도 참가해 세상 흐름을 이해하고 다원적으로 연결되는 사회의 주역이 될 수 있어야 한다.

조동성 | 다보스포럼은 전 세계 브레인들이 모여 거대담론을 통해 큰 틀을 제시한다는 측면에서 매우 의미 있는 행사다. 하지만

좌담회에 참석한 김연희 부사장, 유현오 사장, 조동성 교수(왼쪽부터)

유럽의 시각에서 아시아의 문제를 바라보고 진단하고 있다. 아시아의 문제를 푸는 방법으로 다보스포럼의 패러다임을 적용하는 것은 바람직하지 못하다. 당사자인 우리의 의견이 반영되도록 우리의 논리를 펴야 한다. 다보스포럼이 제시하는 키워드 가운데 '지역 통합(Regional Integration)'이 걸린다. 한 · 중 · 일 3국의 통합 또는 아세안+3(한 · 중 · 일)의 통합이 아시아의 미덕이 될 수 있다는 게 와 닿지 않는다. 기본적으로 경쟁력은 경쟁에서 생긴다. 아시아는 지금 규모를 키워 싸워야 하는 게 아니다. 아직은 운영 효율성이 선진국을 따라가지 못한다. 아시아는 더 많은 경쟁이 필요하다고 생각한다.

문국현 | 좀 더 많은 사람이 참여해 한국을 알릴 수 있도록 정부가 고민해야 한다. 우리의 노력이 부족한 결과, 한국은 세계 무대에서 '잊혀져 가는 나라'가 되고 있다.

김연희 | 다보스포럼에 간다고 하니까 아는 사람이 돈 버는 방법

을 가르쳐 주냐고 물었다. 포럼에 4,000만 원이나 되는 돈을 내고 오려면 기업인에게 확실하게 얻는 것이 있어야 한다. 우리는 이만큼 무엇을 얻는 데 근시안적이다. 언어문제 때문에 무엇을 얻어가거나 네트워킹을 만드는 데에도 한계가 있다.

조동성 | 다보스포럼은 경제인 50%, 비경제인 50% 정도로 구성돼 있어 경제인들을 교육시키기 위한 프로그램임에 틀림없다. 구체적으로 한 수 배워가고 네트워크를 맺는 것도 중요하지만 하나가 더 추가되는 것 같다. 그것은 바로 '지식교환(Intellectual Exchange)'이다. 자기 머릿속에 있는 것을 내놓고 이것을 교류하면서 필요한 것을 가져가는 곳이다. 따라서 언어적으로 내놓을 수 있는 것이 있는 사람이 와야 한다. 그런데 일본도 마찬가지지만 한국은 지식을 내놓을 수 있는 언어능력이 있는 사람이 드물다. 콘텐츠와 커뮤니케이션 두 가지를 가진 사람이 정말 부족하다. 40대 이하 중국인은 언어가 거의 문제되지 않을 정도로 중국은 크게 달라지고 있다.

세계지식포럼을 한국의 다보스포럼으로

–세계지향 문화를 만들자

좌담회 참석자들은 한국의 리더들도 이제 내부 지향적인 시야를 외부 지향적으로 바꿔, 글로벌 이슈에 관심을 가질 때라고 지적했다. 특히 〈매일경제〉가 주최하고 있는 '세계지식포럼'을 아시아판 다보스포럼으로 발전시켜 한국을 지식의 메카로 만들어야 한다는 데 입장을 같이 했다.

조동성 | 우리는 선진국처럼 축적해 놓은 게 없다. 쌓아 놓은 것 없이 소득만 올라가고 있다. 모드(Mode)만 선진국인 것이다. 이제 내부지향적인 시야를 밖으로 돌리는 게 중요하다.

김연희 | 우리 기업은 그동안 너무 내부 지향적이었다. 한국의 기업인들은 기업의 사회적 책임은 선택이라고 생각하는데 사회적 책임은 선택이 아닌 필수조건이다. 앞으로의 사회는 환경을 이해하지 못하면 돈을 벌지 못한다. 앞으로 사회적 책임을 다하지 않는 기업은 고객의 외면을 받게 되고 환경에 관심을 기울이는 기업은 프리미엄을 얻게 된다.

문국현 | 중국과 인도가 너무 앞서가 버렸다. 우리에겐 시간이 별로 없는 절박한 상황이다. 외국으로 나가야 한다. 이를 위해 새로운 능력이 필요하다. 국내 지향적 문화를 세계 지향적 문화로 바꿔야 한다. 세계 메가트랜드와 세계 시민, 세계 문화를 이해해야 한다. 국민의 20~30% 이상이 외국어를 구사할 수 있어야 한다. 교육혁신, 외부지향적인 문화를 통해 브라질, 멕시코, 인도, 중국 등과 상생관계를 만들어가야 한다.

조동성 | 기업들이 제대로 된 애프터서비스를 제공하지 못하면 생존할 수 없고, 자동차 회사가 노조와의 협력 없이는 생존할 수 없는 것처럼 기업은 이제 환경과 사회적 책임 없이는 살아남을 수 없다. 기업인들이 사회적 책임의 중요성을 깨닫는 게 중요하다.

문국현 | 세계는 일자리 창출을 고민하고 있다. 자본과 생산설비는 빠른 속도로 옮길 수 있지만 사람의 이동성에는 많은 한계가 있

다. 유럽 등 전 세계가 일자리 위기에 대처하기 위해 고민하고 있다. 한국 기업도 경영능력과 지식근로자 확보를 위해 노력해야 한다. 세계는 자본제약이 아니라 지식과 전략, 인력이 제일 중요한 문제가 됐다. 두바이가 새로운 금융센터로 변신하고 있다는 것을 알아야 한다.

유현오 | 다보스포럼은 사회적 책임과 기후 온난화처럼 엘리트들이 고민해야 할 주제에 대한 통찰력을 제시한다는 측면에서 긍정적인 측면이 있는 것 같다. 하지만 지나치게 폐쇄적이다. 엘리트를 지향하고 회원이 되거나 초청을 받아야 참석할 수 있다. 미국의 오픈 시스템과 비교되는 부분이다.

조동성 | 한국은 세계지식포럼을 발전시켜야 한다. 지난 7년간의 행사를 통해 충분한 잠재력을 갖췄다고 본다. 한국의 세계지식포럼을 한국의 다보스포럼으로 발전시키기 위해 모두 협력하자.

3

지구촌 미래의 힘, 차세대 지도자들

다보스포럼은 미래 지구촌을 이끌 젊은 인재들을 선정해 2004년부터 매년 '차세대 지도자(Young Global Leader)' 250명씩을 임명하고 있다. 이들은 국가를 대표할 인재인 동시에 세계를 이끌 차세대 유망주들이다.

왜 다보스포럼은 이 같은 일에 앞장서고 있을까. 여기에는 두 가지 전략이 숨어 있다. 될 성 부른 리더들을 입도 선매함으로써 포럼의 미래를 키우겠다는 숨은 의도와 함께 미래 리더 육성의 중요성을 강조하기 위한 의도가 그것이다.

클라우스 슈밥 회장은 "글로벌 도전들을 극복하려면 글로벌 협력에 기초한 차세대 리더들의 신선하고, 창의적인 해결책이 필요하

박지성 축구선수, 이재용 삼성전자 전무, 이해진 NHN 전략담당임원(CSO),
조현상 효성 전략본부 전무 (가나다순)

다"며 "이는 미래의 목소리인 차세대 지도자를 발굴 · 육성함으로써 가능하다"고 말한다.

다보스포럼은 2007년 차세대 지도자로 한국인 가운데 이재용 삼성전자 전무, 박지성 축구선수(맨체스터 유나이티드), 이해진 NHN 전략담당임원(CSO), 조현상 효성 전략본부 전무 등 4명을 선정했다.

포럼 측은 "40세 이하 연령을 대상으로 추천받은 전 세계 후보 4,000여 명 가운데 직업 세계에서의 성취도와 사회에 대한 헌신, 미래를 이끌 잠재력 등을 종합 평가해 선정했다"고 밝혔다.

이재용 전무는 삼성전자의 최고고객책임자(CCO)로서 고객과 성장을 키워드로 해 삼성의 또 다른 퀀텀점프를 추구하는 전략을 수립하고 있다. 이에 앞서 그는 경영전략 팀에서 그룹의 경영전략을 수립하는 핵심적인 역할을 했다.

영국의 맨체스터 유나이티드 프로축구 팀에서 활약하고 있는 박지성 선수는 1999년 올림픽 국가대표 축구선수로 발탁된 뒤, 2002년 한일월드컵에서 발군의 실력을 발휘한 스포츠계 스타다. 그 후

네덜란드 PSV 아인트호벤에 이어 2005년부터 현 맨체스터 유나이티드로 이적, 꾸준한 활약을 보이고 있다.

카이스트 출신인 이해진 CSO는 NHN에서 포털 사이트인 네이버(www.naver.com)의 검색과 운영 전략을 수립 · 집행하는 일들을 하고 있으며, 네이버 창업에 참여했던 디지털계 리더다. 또한 NHN 이사회 의장도 겸임하고 있다. 국가정보기관과 유니텔 정보검색시스템을 개발한 바 있으며, 1992~1998년 삼성SDS 소사장을 지냈다.

조현상 상무는 효성그룹의 경영미래 전략을 짜는 작업을 주도하고 있으며 벤츠 차종을 수입 · 판매하는 '더클래스 효성'의 탄생을 이끈 주역이다.

2006년 9월 효성 측 협상단 대표로 미국 굿이어와 32억 달러 규모의 타이어코드 장기공급 계약을 성사시키고 굿이어의 해외 타이어코드 공장 4곳도 인수해 주목을 받기도 했다.

'2006 차세대 지도자'로는 김주영 법무법인 한누리 변호사와 윤송이 SK텔레콤 상무, 김연희 베인&컴퍼니코리아 부사장, 정의선 기아자동차 사장 등 5명이 선정됐다

이에 앞서 2005년에는 헤럴드미디어 홍정욱 대표이사 사장, 김택진 엔씨소프트 사장, 이재웅 다음커뮤니케이션 사장, 윤석민 SBSi 사장, 원희룡 한나라당 의원, 이지현 국가안전보장회의(NSC) 공보관, 김미형 금호그룹 부사장 등 7명이 선정됐다.

참고자료

1. World Economic Forum(www.weforum.org)
 - Complete coverage: www.weforum.org/annualmeeting
 - Interviews with leaders & background essays:
   www.weforum.org/annualmeeting/indepth
 - Programme: www.weforum.org/annualmeeting/programme
 - Programme Themes: www.weforum.org/annualmeeting/ themes
 - Photographs: www.swiss-image.ch/webwef/INDEX.htm
 - Webcasts, Podcasts & Vodcasts: www.weforum.org/
   annualmeeting/webcasts
 - Session Summaries: www.weforum.org/annualmeeting/
   summaries2007
 - World Economic Forum Weblog: www.forumblog.org
 - Davos Conversation Page: www.weforum.org/
   davosconversation
 - Annual Meeting Open Forum: www.weforum.org/openforum
 - Annual Meeting WorkSpace: www.weforum.org/
   annualmeeting/workspace
 - Annual Meeting Partners: www.weforum.org/
   annualmeeting/partners
 - Press Releases: www.weforum.org/pressreleases
 - Press Kit: www.weforum.org/annualmeeting/presskit
 - FAQs: www.weforum.org/annualmeeting/faq
2. International Monetary Fund: www.imf.org
3. International Financial Statistics: ifs.apdi.net
4. World Trade Organization: www.wto.org

5. The World Bank: www.worldbank.org
6. Bank for International Settlements: www.bis.org
7. UN: www.un.org
8. UNDP: www.undp.org
9. UNESCAP: www.unescap.org
10. International Energy Agency: www.iea.org
11. FRB: www.federalreserve.gov
12. National Bureau Statistics of China: www.stats.gov.cn
13. CIA World Factbook: www.cia.gov/redirects/factbookredirect.html
14. International Iron and Steel Institute: www.worldsteel.org
15. World Bureau of Metal Statistics: www.world-bureau.com
16. Consensus Economics: www.consensuseconomics.com
17. Hedge Fund Research, Inc: www.hedgefundresearch.com
18. Price Waterhouse Coopers: www.pwc.com
19. JP morgan: www.jpmorgan.com
20. Goldman Sachs: www.goldmansachs.com
21. Thomson Financial: www.thomson.com/solutions/financial/
22. Bain & Company: www.bain.com
23. comScore Networks, Inc: www.comscore.com
24. Bear Stearns: www.bearstearns.com
25. eMarketer: www.emarketer.com
26. Maeil Business Newspaper: www.mk.co.kr
27. NHN corp: www.naver.com
28. SERI: www.seri.org
29. LG Economic Research Institute: www.lgeri.org
30. Wikipedia: www.wikipedia.org
31. Revolutionary Wealth written by Alvin Toffler and Heidi Toffler

다보스 리포트 **힘의 이동**

초판 1쇄 2007년 3월 22일
7쇄 2007년 4월 30일

지은이 매일경제 세계지식포럼 사무국
기획 · 감수 조현재 **대표저자** 최은수 · 최승진
펴낸이 김석규 **펴낸곳** 매경출판(주)
등 록 2003년 4월 24일(No. 2-3759)
주 소 우)100-728 서울 중구 필동1가 30번지 매경미디어센터 9층
전 화 02)2000-2610(출판팀) 02)2000-2636(영업팀)
팩 스 02)2000-2609 **이메일** publish@mk.co.kr

ISBN 89-7442-444-2
값 12,000원